Argraffiad cyntaf 2017

Mae'r Lleuad yn Goch

Myrddin ap Dafydd

Gwasg Carreg Gwalch

Argraffiad cyntaf: 2017

Rhif Llyfr Safonol Rhyngwladol:
978-1-84527-623-2

Cyhoeddwyd gyda chymorth Cyngor Llyfrau Cymru

Dylunio: Eleri Owen

Cyhoeddwyd gan Wasg Carreg Gwalch,
12 Iard yr Orsaf, Llanrwst, Dyffryn Conwy, Cymru LL26 0EH.
Ffôn: 01492 642031
Ffacs: 01492 642502
e-bost: llyfrau@carreg-gwalch.com
lle ar y we: www.carreg-gwalch.com

Argraffwyd a chyhoeddwyd yng Nghymru

Cyflwynedig

gydag atgofion diolchgar i

Lydia Hughes (Roberts gynt)

fy athrawes Gymraeg gyntaf

yn Ysgol Dyffryn Conwy, Llanrwst

Prolog

Pwllheli Haf 2016

Cyrhaeddodd Beca'r maes parcio a gwelodd fod dwy ambiwlans ac injan dân yno. Codai rhuban o fwg du o gegin cartref yr henoed. Roedd cotiau melyn y criw tân a dillad gwyrdd y criw ambiwlans yn gweu drwy'i gilydd. Parciodd wrth yr adwy a dechreuodd gerdded yn frysiog rhwng tyrfa oedd yn sefyllian ar hyd y maes.

Lle'r oedd hi?

Roedd swyddogion tân yn atal pawb ond y gwasanaethau swyddogol rhag mynd drwy brif fynedfa'r adeilad. Gwelodd hen ŵr mewn cadair olwyn yn cael ei wthio at un ambiwlans. Roedd golwg ruslyd arno, y creadur. Tân mewn cartref hen bobl – pwy freuddwydiai am y fath beth.

Gwelodd Beca un o gynorthwywyr y cartref mewn gwisg las, hogan leol yn siarad Cymraeg – roedd Beca'n gyfarwydd â'i hwyneb.

"Helô, fi ydi Beca – wyres Megan Richards."

"O, ia siŵr. Nabod chdi rŵan. Maen nhw'n mynd â phawb i Ysbyty Bryn Beryl. Maen nhw wedi agor dwy ward oedd wedi cau yn fan'no i ddelio efo'r argyfwng."

"Fan'no mae Nain?"

"Na, dwi ddim yn meddwl ei bod hi wedi mynd eto. Y rhai oedd yn gaeth i'w gwlâu gafodd fynd gyntaf. Tyrd efo fi i weld."

Dilynodd Beca'r lifrai glas i gornel dawel o ardd y cartref lle'r oedd rhes o'r preswylwyr mewn cadeiriau olwyn.

"Dyma hi, ylwch. Megan! Megan! Mae rhywun wedi galw i'ch gweld chi!"

"Nain! Dach chi'n iawn?"

Cododd Megan Richards ei phen o'r papur newydd roedd hi'n ei ddarllen. Sylwodd Beca ar y pennawd bras ar y dudalen flaen: *'Migrant Madness – 3 illegals an hour caught trying to get into Britain.'* Edrychodd Megan Richards ar y ferch oedd yn nesu. Gwên ffurfiol oedd ar ei gwefusau i ddechrau arni, ond wrth adnabod ei hwyres daeth gwreichionen gynnes i'w llygaid.

"Be wyt ti'n da yma a hithau'n ganol pnawn? Pam nad wyt ti yn dy waith?"

"Dad ffoniodd i ddeud bod yna dân yma. Mae o a Mam ar eu ffordd. Fyddan nhw yma mewn rhyw deirawr."

"I be sydd isio gwneud ffasiwn ffys, wn i ddim."

Trodd i edrych ar y mwg du.

"Rhywbeth yn y gegin aeth ar dân, ia?" gofynnodd Beca.

"Twt, tydi o fawr o dân, yn nac ydi? Does yna ddim fflamau ynddo fo, hyd yn oed."

"Ond maen nhw'n gorfod gwagio'r holl adeilad, rhag ofn."

"Hen lol, wir."

"Pa mor hir fyddan nhw?"

"Ni fydd y rhai olaf i gael gwybod, elli di fentro. 'Dan ni'n rhy hen i gael gwybod dim byd rŵan."

"Mi a' i i holi."

Aeth Beca draw at rai o swyddogion y cartref oedd yn siarad gyda swyddog tân. Gofynnodd ei chwestiynau a daeth â'r atebion yn ôl at ei nain.

"Swper yn Bryn Beryl ichi ac wedyn 'nôl i fan'ma i gysgu heno, dyna ddwedson nhw wrtha i. Mae popeth dan reolaeth."

"Ydi siŵr, nhw sy'n gwneud y rheolau."

"Dach chi'n cael dod efo fi, Nain."

"Be wyt ti'n feddwl, hogan?"

"Dim ond 'chydig oriau fyddan ni, yntê? Mae'n wirion eich bod chi'n aros allan fa'ma yn disgwyl eich tro. Er ei bod hi dal yn fis Awst, mae 'na hen ias ynddi hi, does? Gewch chi ddod efo fi i'r tŷ acw ac mi ffonia i i weld pryd fydd hi'n iawn ichi ddod yn ôl."

"Ti'n siŵr?"

"Bendant. Arhoswch i mi nôl eich pulpud cerdded chi o'r pentwr acw yn fan'cw."

Daeth Beca'n ei hôl gyda phulpud cerdded a'r enw 'MEGAN' arno.

"Dach chi'n ddigon cynnes, Nain?" Edrychodd ar y lliain oedd ganddi dros ei gliniau. Lliain coch a gwyn a gwyrdd.

"Ydw, hogan."

"Ydach chi isio rhywbeth arall o'ch llofft?"

"Na."

"Dim ond un peth roeddan ni'n cael ei gario allan efo ni."

"A be ddewisoch chi?"

"Wel, hon, siŵr iawn." Byseddodd Megan Richards y lliain lliwgar ar ei gliniau.

"Yr hen racsan yna! Nid fy llun i ar eich cwpwrdd bach chi? Dach chi'n fy siomi fi, Nain!"

"Twt, mae'r lluniau i gyd yn dy ben di pan ti'n ... Faint ydi'n oed i rŵan, hogan?"

"Naw deg dau. Dach chi ddim yn cofio ni'n cael parti bach ... ?"

"Dwi'n cofio bod pob parti yr un fath, dyna'i gyd. Mae 'na ormod o bethau eraill i'w cofio, w'sti."

"A ddewisoch chi'r rhacsan yma o flaen pob dim arall. Dyma fo, fy nghar i, ylwch."

Daliodd Beca'r lliain dros un fraich er mwyn helpu ei nain i'w sedd.

"Dach chi isio hwn fan hyn, 'ta ga i ei roi o efo'r pethau eraill yn y cefn?" gofynnodd ei wyres, gan gyfeirio at y lliain.

"Yma." Gafaelodd yr hen wraig yn y defnydd, a'i anwesu gyda'i bysedd.

"Y stwff yna'n denau braidd erbyn hyn, tydi, Nain?" meddai Beca ar ôl eistedd yn sedd y gyrrwr a sicrhau'r ddau wregys diogelwch.

"Ella 'i fod o."

"Y lliwiau wedi pylu'n arw."

"Mae hi'n hen fatha finnau, tydi."

"Ond mae yna ryw stori'n perthyn iddi, mae'n debyg?"

"Baner ydi hi, yli." Agorodd Megan Richards y lliain a dangos patrwm croes wen ar groes werdd ar gefndir coch. "Ac er ei bod hi'n hen, mae yna rywbeth sy'n ei gwead hi sy'n mynnu para, yli."

Taniodd Beca injan y car a chyn hir roeddan nhw'n mynd i gyfeiriad ei thŷ teras yng nghanol y dre.

"Lluniau, llyfrau, aur y byd," meddai Megan, wrthi'i hun

yn fwy na neb arall. "Dim ots am y rheiny yn y diwedd. Straeon ac atgofion ydi'r trysorau."

"Ac ambell racsan fel y faner 'na. Be ydach chi isio i de, Nain?"

Trodd Megan at ei wyres.

"Wst ti be faswn i'n ei licio'n fwy na dim y funud yna? Cacan wy o Fecws Gwalia. Heb gael un ers dwn i ddim pryd ... "

"Iawn, mi awn ni ar hyd y stryd i weld ga i le i barcio."

"Wedyn gawn ni de bach, ac mi gei di stori'r faner yma gen i," addawodd Megan Richards.

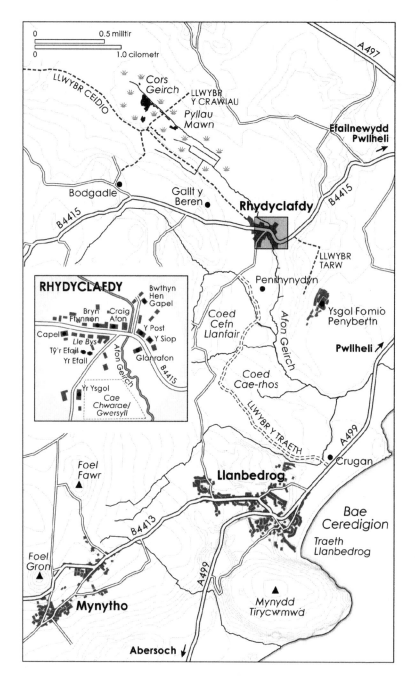

Rhan 1

Rhydyclafdy, Llŷn
Haf 1936

Pennod 1

Roedd stori Megan Richards yn dechrau ym mhentref
Rhydyclafdy yn Llŷn yr haf hwnnw pan symudodd yno i fyw.

"Esgusodwch fi, fedrwch chi ddeud wrtha i pa ffordd mae'r
môr, os gwelwch yn dda?" gofynnodd Megan.

Oedodd yr hen ŵr a ddeuai i lawr y ffordd o'r capel i
gyfeiriad y bont wrth glywed y cwestiwn. Yna, trodd ei ben i
gyfeiriad y llais. Rhoddodd gam yn nes at wal yr ardd, rhoi'i
law ar y cerrig ar ei brig, ymestyn ei ben allan o goler ei grys a
throi ei glust y mymryn lleiaf at yr eneth ifanc a safai o flaen
drws y tŷ.

"A ... Ac eisiau mynd i weld y moch wyt ti, 'ngeneth i?"

"Na, y MÔR. Pa ffordd mae o, os gwelwch yn dda?"

"O! Y môr ... " a chwarddodd yr hen ddyn yn grynedig.
Cyfeiriodd at ei glust chwith. "Hon ddim yn clywed rhyw
lawer erbyn hyn, w'sti. Ond mae'r dde yma'n o lew o hyd.
Siarad di yn hon, wel'di. A ... a chwilio am y môr wyt ti ... Ar
dy wyliau yn Llŷn wyt ti, ia?"

"Naci. 'Dan ni wedi symud i fyw yma."

Edrychodd yr hen ŵr ar y tŷ teras y tu ôl iddi.

"Symud i fyw i Craig Afon? Bobl, wyddwn i ddim. A phwy wyt ti felly, 'mechan i?"

"Megan."

"Ac o lle doist ti?"

"O fferm Tywyn Bach."

"A pha Dywyn ydi hwnnw?"

"Porth Neigwl."

"Hmmm. 'Porth Neigwl, Porth Uffarn', fel y dwedodd rhywun. A fa'ma rwyt ti'n byw rŵan?"

"Ia. Pawb ohonon ni."

"A ... a phwy ydi pawb? Y byd a'i nain?"

"Mam a Dad a Robin, fy mrawd bach i, ac Wmffra fy mrawd mawr i hefyd, pan ddaw ei long o'n ôl."

"A phryd symudoch chi yma?"

"Ben bore yma."

"Wel, fydda i ddim yn codi'n gynnar iawn y dyddiau yma. Cysgu ar fy nghlust dda, wel'di, a ddim yn clywed dim byd. Melys cwsg postyn byddar."

"O."

"A gofyn oeddat ti am y môr?"

"Ia. Lle mae o?" Roedd y mymryn lleiaf o fin yn llais Megan bellach.

"A ... Ac yn gofyn yn ddel iawn hefyd, os ca i ddeud. Tro cyntaf, beth bynnag. Wedi dy fagu'n dda, synnwn i ddim. A phwy ydi dy fam, dwed?"

"Morfudd Huws."

"Wel, dwed wrthi 'mod i'n deud bod gen ti lond ceg o

iaith dda iawn. A ... Ac mi fyddi di eisiau gwybod pwy ydw i
rŵan, yn byddi, er mwyn iti gael deud hynny wrthi. Tom
Williams ydw i ac yn byw i fyny'r lôn yn nhŷ teras Bryn
Ffynnon yn fan'cw, wel'di? A ... a phwy ydi dy dad wedyn?"

"Ifan."

"Ifan Huws, Tywyn Bach, Porth Neigwl, ia? Na, tydi o
ddim yn enw cyfarwydd i mi, chwaith. Wel dyna ni, mi ddown
i'w nabod o gyda hyn."

"Esgusodwch fi – y MÔR?"

"A! Wrth gwrs. Ac roeddat ti'n deud bod Wmffra dy frawd
mawr ar y môr?"

"Oeddwn."

"Llong fawr?"

"Stemar y *St Winifred.*"

"A lle mae o rŵan?"

"Rhywle rhwng de Cymru a Sbaen a Bordeaux."

"A deud y gwir! Gweld y byd, yn tydi?"

"Ac mi hoffwn innau weld y môr."

"Ia, dyna roeddat ti'n ei ddeud, 'mechan i. Ei weld o wyt ti
isio, neu fynd i mewn iddo fo? Achos os wyt ti eisiau mynd
iddo fo, dros y bont yma ac i'r chwith ar hyd lôn yr ysgol. Yn
dy flaen rhyw ddwy filltir ar hyd llwybr y traeth, a throi lawr i
waelod pentra Llanbedrog ar hyd y lôn heibio'r Plas ac i'r
traeth. Traeth braf ydi o hefyd, ond braidd yn bell i rywun dy
oed ... A faint ydi dy oed di hefyd?"

"Un ar ddeg. Na, dim ond ei weld o rydw i eisiau."

"O, ac mae hynny'n haws o lawer. Dros y bont ac i fyny'r
lôn fawr acw i gyfeiriad Pwllheli. Heibio tafarn Tu-hwnt-i'r-
afon a'r stablau, a rhyw fymryn wedi hynny mi weli di giât

fochyn ar dy law dde. Drwy honno a dilyn y llwybr i fyny'r llechwedd acw, wel'di. Tendia di – mae o reit serth hefyd. Mae yna lwybr tarw'n mynd i'r dde ar hyd y gefnen yna. Mi weli di'r môr yn mystyn danat ti wrth gerdded ar hyd hwnnw."

"Oes yna darw yno?"

"Na, na! Dim ond ffordd o ddeud, 'mechan i! Llwybr union ydi o. Syth fel saeth. Wel, dyna chdi, rhaid inni gael sgwrs imi gael dy hanes di i gyd ryw dro. A da bo ti rŵan!"

I ffwrdd â Tom Williams dros y bont am y post a'r siop. A phobl fel hyn sy'n byw yma yn Rhydyclafdy, meddyliodd Megan wrthi'i hun. Heb oedi rhagor, aeth hithau dros y bont ac ymlaen am y giât fochyn.

Roedd yr hen greadur yn dweud y gwir bod y llechwedd yn codi'n sydyn o lawr y dyffryn bychan i ben y bryn hir oedd rhyngddi a'r môr, meddyliodd Megan, gan duchan braidd. Roedd y llwybr yn gweu yn igam-ogam heibio llwyni eithin y llethr. Yna, roedd ael y bryn o'i blaen.

Unrhyw eiliad rŵan, meddyliodd yr eneth, gan ymestyn ei chamau wrth i'r tir lefelu at y copa. Safodd. Gallai weld penrhyn creigiog ar ei llaw dde, tir gwastad oddi tani a rhyw graig yn bochio i'r traeth. Tai tref Pwllheli ar y chwith. Nifer o ffermydd a rhes o dai. Mynyddoedd pell ar draws y bae ac ambell dref a thraeth ar eu godrau. Ond yno yn y canol o'i blaen, yn aflonydd, yn crynu, yn dal yr haul a lliwiau llwyd a glas yr awyr yn rhedeg drwy'i gilydd ar ei wyneb – y môr.

Craffodd ar hyd y gorwel. Roedd tes canol haf yn creu niwlen lle nad oedd y môr na'r awyr yn gorffen yn iawn, dim ond yn cymysgu'n ddiog i'w gilydd.

Roedd ambell hwyl wen ac ambell hwyl goch yma ac acw.

Hwylwyr yr haf efallai, neu hen gwch pysgota.

Wrth droi tua'r dde ar ganol cefnen y bryn, dilynodd y 'llwybr tarw' hwnnw yn union ar draws cae cyfan nes y daeth at giât. Agorodd honno ac aeth drwodd i'r cae nesaf. Gallai weld pentref bychan yn swatio yng nghesail y penrhyn garw a thywod melyn yn ymestyn i'r bae. Mae'n rhaid mai dyna'r Llanbedrog y soniodd y Tom Williams hwnnw amdano, meddyliodd Megan.

Ymledai golygfa wahanol o flaen ei llygaid yn awr. Roedd wedi cyrraedd pen pella'r bryn hir ac roedd y tir yn y fan hon yn disgyn yn llethr serth o dan ei thraed. Arweiniai llwybr i lawr rhwng cloddiau drain at gytiau pren yn y gwaelodion lle roedd y tir yn gwastatáu. O flaen y rheiny roedd ffedog eang o dir gwastad, ond a oedd, er hynny, yn uwch na'r morfa a'r traeth ymhellach draw. Ar y ffedog yma o dir, sylwodd Megan fod gweithgaredd mawr.

Peiriannau'n symud pridd. Rhesi o ddynion yma ac acw gyda rhawiau a cheibiau. Rhyw fwcedi llydan ar bethau tebyg i dractorau yn codi pridd i wageni. Roedd yno geffylau'n llusgo canghennau coed. Criw ar y dde yn torri clawdd cyfan ac yn ei losgi. Yn union wrth droed y llethr, roedd rhywun yn tynnu llechi oddi ar do hen dŷ mawr carreg, a chriw arall yn dymchwel waliau y stablau a'r tai allan. Ni allai Megan ond syllu a rhyfeddu at y prysurdeb. Safai yno'n dilyn y llwythi'n mynd ac yn dod, y symud a'r lefelu ac yna yn ôl am lwyth arall.

Ni chlywodd bâr o draed arall yn cerdded ar hyd y llwybr tarw. Ni chlywodd wich y giât, hyd yn oed, na'r cerddediad esmwyth ar hyd y glaswellt at ei hymyl.

"Bore da."

Neidiodd Megan y mymryn lleiaf.

"O! Helô." Edrychodd Megan yn iawn arni am y tro cyntaf a gweld mai gwraig ifanc yn ei hugeiniau oedd wedi cerdded ati.

"Y gwaith yma wedi dy syfrdanu di, ia?"

"Mae ... mae hi'n olygfa anhygoel. Beth sydd ...?"

"Wel, mae hi'n rhy hwyr i blannu tatws, yn tydi, 'mechan i!"

"Mi alla i weld nad ffarmwrs ydyn nhw. Gwneud y lle'n un cae mawr maen nhw?"

"Ia, rhyw fath."

"Er mwyn tyfu haidd, efallai? Gwneud lle braf i'r combein weithio?"

"Na, mae'r dynion yma eisiau mwy na bara, wel'di. Glywaist ti sôn am yr ysgol fomio?"

"Yr ysgol, do ... Ddim honno, does bosib?"

"Maen nhw wrthi ers diwedd Mehefin yn lefelu'r tir yn fa'ma. Rhyw drigain o ddynion sydd yma – er iddyn nhw addo y byddai yna waith i chwe chant. A fydd y rhein ddim yma'n hir eto chwaith, yn ôl golwg pethau."

"Fan'ma bydd yr awyrennau, felly?"

"Mi glywaist ti am hynny, do?" Trodd y wraig ifanc i wynebu Megan. "Maes awyr. Awyrennau rhyfel yn codi i gyfeiriad y môr acw. Digon o sŵn i godi ofn ar ddyn ac anifail. Wedyn mi fyddan yn troi heibio Mynydd Tirycwmwd – dyna enw'r penrhyn creigiog acw, wel'di. Hedfan draw wedyn heibio Mynytho ac Abersoch – weli di'r bryn moel acw efo'r het mwnci yna ar ei ben o? Dyna iti Fynydd Pot Jam, fel mae'r plant ffordd yma'n ei alw fo. Foel Fawr uwch Mynytho ydi hi a hen felin wynt sydd ar ei chopa hi. Mi fyddan yn hedfan ffordd acw, mynd draw rhyw wyth milltir ac i lawr wedyn ac yn bomio'r targedau ym Mhorth Neigwl ... "

"Porth Neigwl!"

Pennod 2

"Porth Neigwl!" meddai Megan eto, ond yn dawelach y tro hwn, fel petai'n siarad gyda'i henaid ei hun.

"Mae'r enw hwnnw'n golygu rhywbeth iti, mae'n amlwg," sylwodd y wraig ifanc.

Roedd Megan wedi'i tharo'n hollol fud, ond roedd rhyw dân gwyllt yn llosgi yn ei llygaid.

"Mae hynny'n deud rhywbeth amdanat ti, w'sti," meddai'r wraig ifanc. "Dydi enwau lleoedd ddim yn golygu dim i rai pobl, ond maen nhw'n agos iawn at galonnau rhai ohonon ni. Mae'n amlwg dy fod ti'n un o'r rheiny."

Oedodd am funud, gan droi i edrych ar y môr a chilfachau'r arfordir ac yn ôl am y tir o gopa i gopa.

"Mae fy enwau i i'w gweld o'r fan yma, wel'di. Dwi wedi fy magu ar fferm i lawr yn y pant wrth Rhydyclafdy. Penrhynydyn ydi honno, a dyna'r enw cyntaf ddysgais i, mae'n siŵr. Ond dyma fy hoff lecyn i. Mae'r cyfan yn y fan hon, w'sti – Bae Ceredigion a'i donnau o fy mlaen i, mynyddoedd Meirionnydd dros y dŵr i'r chwith fan acw, Eryri yn uwch i fyny, yr Eifl y tu ôl inni, Garn Boduan, Garn Fadrun ac wedyn Garn Saethon, Carneddol, Foel Fawr a'r Foel Gron. 'Bro rhwng môr a mynydd' ddwedodd R. Williams Parry am ardal arall ddigon tebyg i hon. 'Eifionydd' ydi enw'r gerdd honno – wyt ti wedi dod ar ei thraws hi? Os na ddysgi di ddim yn yr ysgol heblaw 'Eifionydd', ei di ddim ymhell iawn o dy le!"

Trodd at Megan, ond doedd dim ymateb i'w gael gan y ferch o hyd.

"Dwi'n siarad gormod, dwi'n gwybod. 'Bro rhwng môr a mynydd'. Yn y fan yma mae'r geiriau yna yn dod yn fyw i mi. Wyt ti'n gwybod am rai o gerddi R. Williams Parry?"

"Na, dwi ddim yn meddwl." Mae Megan yn troi'n ôl yn raddol i wynebu'r lli o eiriau.

"Mae'n ddrwg gen i, 'mechan i. Athrawes ysgol ydw i ac athrawes ydw i o hyd, er ei bod hi'n wyliau haf. Hidia befo. Lydia ydi fy enw i, Lydia Roberts."

Dywedodd Megan ei henw hithau a sôn ei bod newydd symud, ac yna gofynnodd yn sydyn,

"Yn Ysgol Sentral Pwllheli dach chi'n athrawes?"

"Na, nid honno. Ond mewn ysgol sentral hefyd, 'blaw ei bod hi braidd yn bell o fa'ma – yr ochor draw i'r mynyddoedd acw. Plant tua dy oed di sydd yn fy nosbarth i hefyd, Megan."

"I'r sentral ym Mhwllheli y bydda i'n mynd ar ôl yr haf yma."

"Wel, mi fydda i wastad yn deud ei bod hi'n bwysig iawn rhoi'r addysg orau'n bod i blant y sentral. Nhw ydi plant pwysica'r ardaloedd yma. Y nhw fydd yn aros ac yn gweithio yma ac yn cadw'r olwynion i droi. Ei gwadnu hi oddi yma fydd y rhai aiff i'r gramar. Dyna'r gwir – heb flewyn ar fy nhafod."

Trodd Lydia yn ôl i astudio'r gwaith oedd yn digwydd ar y tir islaw.

"Penyberth ydi enw'r hen dŷ nobol acw sy'n cael ei ddymchwel draw fan'cw," aeth Lydia yn ei blaen. "Wst ti fod hwnnw'n un o hen blastai Llŷn, Megan – yn lle y byddai beirdd yn heidio iddo fo yn yr hen ddyddiau?" Gwenodd gan godi'i gên yn wamal. "Clyw dithau'r hen athrawes goblyn yna'n parablu drwydda i eto!"

"Mi glywais innau am Benyberth," meddai Megan.

"Oes, mae digon o sôn wedi bod yn y misoedd diwethaf. Cyfarfodydd cyhoeddus, llythyrau yn y papurau newydd ... "

"Mi ddaeth rhywun heibio'n fferm ni ym Mhorth Neigwl i ofyn inni seinio rhyw ffurflen i wrthwynebu'r ysgol fomio."

"Mi fues i a llawer o rai eraill yn curo drysau dros wyliau'r Pasg. Helwyd dros bum mil o enwau pobl yr ardal yma. Chymron nhw affliw o ddim sylw o lais trigolion Llŷn, na llais Cymru gyfan, o ran hynny. Ond mi soniaist ti am Borth Neigwl gynnau?"

"Byw ar fferm Tywyn Bach yn fan'no yr oeddan ni nes inni symud i Graig Afon y bore 'ma. Gawson ni ein hel oddi yno ... "

"O! Mae'n ddrwg gen i, cofia, Megan. Finnau'n siarad fel pwll y môr yn fan'ma a thithau wedi cael dy droi o dy gartref gan y taclau yma."

Distawodd y sgwrs yn y fan honno. Edrychodd Megan ar y gwaith pridd ac yna draw dros y moelydd i gyfeiriad Porth Neigwl.

"A'r ffordd yna fydd yr awyrennau'n mynd i fomio'r targedau ym Mhorth Neigwl?"

Daeth cwmwl o dawelwch eto dros y ddwy. Gwasgai Lydia'i gwefusau'n dynn ac roedd ei llygaid tywyll yn brathu'r olygfa o'u blaenau. Yna, clywodd snwffian tawel o gyfeiriad Megan. Deffrodd drwyddi a sylweddoli bod y meddyliau'n ormod i'r hogan ifanc.

"Tyrd di rŵan, 'mechan i," meddai gan roi'i llaw ar ei hysgwydd. "Thâl hi ddim inni sefyllian yn fa'ma yn bruddglwyfus. Gad inni adael y taclau yna a throi'n ôl at y pentra. Hei, dwi'n siŵr y bydd dy fam di'n chwilio amdanat ti i gael help llaw efo'r dadbacio a chael popeth i'w le yn y tŷ newydd."

Trodd y ddwy am y llwybr a'r giât. Wrth ddod i lawr y llethr rhwng y llwyni eithin, gofynnodd Megan yn sydyn:

"Pryd fydd yr awyrennau yna'n dechrau hedfan a dechrau gollwng eu bomiau, Miss Roberts?"

"Lydia, galw fi'n Lydia. Hogan o'r pentra fel tithau ydw i, cofia."

"Lydia, 'ta. Pryd fyddan nhw'n gollwng y bomiau cyntaf?"

"Wel mae 'na dipyn o waith i'w wneud yno yn gyntaf i adeiladu maes awyr a gwneud lle i'r awyrennau hedfan. Mae yna sôn y bydd yna fil o beilotiaid a mecanics ac ati yna – mae eisiau cytiau i'r rheiny i gyd. Codi targedau ym Mhorth Neigwl wedyn. Fydd hi'n flwyddyn nesa o leiaf, fel mae pethau ar hyn o bryd."

Neidiodd dagrau i lenwi llygaid Megan eto.

"Be sy 'ngeneth i? Be sy'n mynd drwy dy feddwl di rŵan?"

"Nel ... "

"Nel?"

"Yr ast fach. Ein ci defaid ni yn Nhywyn Bach. Mi redodd hi i ffwrdd ddoe wrth inni bacio a llwytho. Does 'na neb wedi'i gweld hi a ... a ... "

"Ac mae gen ti ofn iddi aros yno nes bod yr awyrennau 'na yn hedfan dros y lle. Ddim coblyn o beryg. Paid ti â phoeni, dydi hi byth yn rhy hwyr. Mi hola i o gwmpas. Sut un ydi Nel?"

"Un ddu a gwyn. Un glust ddu, un glust wen, pedair hosan wen a thusw gwyn ar flaen ei chynffon."

"A'i hoed hi?"

"Dwyflwydd."

"O, un ifanc, fywiog, siŵr iti. Methu dallt beth oedd yn digwydd oedd hi a ddim yn cytuno efo'r peth o gwbwl. Mae hi'n benderfynol o gael ei ffordd ei hun, ti'n gweld."

"Mae hi'n dda am wrando arna i fel arfer, ond ... "

"Rydan ni i gyd yn cael pwl bach o wrthod gwrando weithiau. Wyddost ti be? Mae hynny'n beth go dda ar adegau. Does dim eisiau llyncu'r cwbwl maen nhw'n ei ddeud wrthon ni. Dwi'n nabod dyn ifanc ac mae ganddo fo gar. Awn ni i chwilio am yr ast fach. Drefna i rywbeth. Tyrd yn dy flaen rŵan."

Cerddodd y ddwy drwy'r giât fochyn ac ar hyd y ffordd yn ôl am y bont a Chraig Afon. Arhosodd Lydia yno am ran helaeth o'r bore yn helpu'r teulu a sôn am hwn a'r llall a beth oedd i'w gael yn y pentref. Roedd Robin, brawd bach Megan, allan yn y cefn yn crafu'i ben uwch beic a'i olwyn flaen yn fflat.

"Pyncjar sydd gen ti yn dy feic, Robin? Wel, Niclas y saer setlith hwnnw," meddai Lydia wrtho ar ôl i Megan ei gyflwyno iddi. "Mae'i weithdy o gyferbyn â'r ysgol. Yli, mae hynny ar fy ffordd adref innau. Awn ni heibio fo? Ac mi ddangosa i'r ysgol fyddi di'n mynd iddi fis Medi iti. O! Dyma fi eto'n rêl athrawes yn sôn am ysgol bob munud!"

Dyna fu'r patrwm dros y dyddiau nesaf – Lydia'n galw heibio Craig Afon ac yn rhoi'r teulu ar ben ffordd gydag amseroedd y bysys i'r dref, beth i'w brynu o'r siop yn y pentref ac ar ba fferm yn yr ardal yr oedd y tatws newydd gorau i'w prynu. Ond ei gorchwyl gyntaf bob tro oedd ateb cwestiwn Megan am hynt ei thrip yn y car y noson cynt:

"Welsoch chi Nel neithiwr?"

"Gyrhaeddon ni Mynytho a Llangïan neithiwr, Megan, a siarad efo nifer o ffermwyr a'r bobl sy'n byw yn nhai'r lôn. Ond na, cofia, ddim neithiwr. Eto, dwi'n siŵr y daw hi i'r golwg yn o fuan iti."

Dychwelodd Lydia o'r farchnad ym Mhwllheli ar y dydd Mercher, ond eto siglo'i phen yn isel a wnaeth i gwestiwn Megan wrth giât Craig Afon.

Bore drannoeth, gwyddai Megan wrth wylio cerddediad Lydia at y tŷ nad oedd newydd da i'w rannu'r diwrnod hwnnw chwaith. Roedd yr athrawes heb ei sirioldeb arferol. Ofnai Megan fod newydd drwg ar dorri, hyd yn oed.

"Oes 'na ddim byd wedi digwydd i Nel, nagoes, Lydia?"

"Na, 'mechan i. Neb wedi gweld lliw ei chôt hi yn unman. Ond mi fuon ni cyn belled â Phorth Neigwl neithiwr. O, dyna iti olwg. Ffensys weiar bigog ym mhob man."

Daeth Morfudd, mam Megan, i'r drws.

"Dyna pam na fedr Ifan 'ma fynd yn ôl i chwilio am yr ast. Deg o ffermydd gwag yno. Deg teulu wedi'u troi o'u tai ac oddi ar eu tir i wneud lle i'r targedau bomio. Mi fyddai'n torri'i galon."

Pennod 3

Un fantais o fyw yng nghanol y pentref oedd bod y post yn cyrraedd yn gynt. Postmon ar gefn beic oedd yn cyrraedd Tywyn Bach, a hynny ychydig cyn cinio. Postmon ar droed, toc wedi amser brecwast, oedd yn galw heibio Craig Afon.

Un bore Llun, ganol fis Awst, clywodd Megan gnoc y postmon a rhedodd i agor y drws iddo.

"Bore da, Megan," meddai hwnnw gyda'i wên arferol. "Llythyr efo stamp diarth iti heddiw. Ceiliog arno fo, wel'di. *Republique de France.*"

Pwy oedd yn digwydd pasio ond Tom Bryn Ffynnon.

"Sut dach chi'n geirio?" gofynnodd dros y wal gan ymestyn ei wddw a throi'i glust dde atyn nhw.

"Repyblic dy Ffrôns, Tom," meddai'r postmon, gan chwifio'r amlen a phwysleisio'i acen Ffrengig.

"Pyblic ffôn meddach chi, ia?" atebodd Tom. "Oes, mae isio inni hel i gael un yn y pentra 'ma. Maen nhw newydd gael un o flaen y post ym Mhwllheli. Pam fod yn rhaid i'r dre gael bob dim? I'r pant y rhed y dŵr, yntê? Mm?"

Aeth Tom ymlaen dros y bont yn ei fyd bach ei hun.

Diolchodd Megan i'r postmon ac astudio'r amlen yr un pryd. Llawysgrifen Wmffra. Rhoddodd ei chalon naid a rhedodd yn ôl i'r gegin.

"Mam! Llythyr gan Wmffra o Ffrainc! Gawn ni ddarllen o

rŵan, 'ta oes raid inni aros nes bydd Dad adra?"

Nid oedd llawer o aceri ynghlwm wrth Tywyn Bach a dim ond ffermio gyda'r nos yr oedd Ifan Huws pan oedd y teulu'n byw ym Mhorth Neigwl – ychydig o ddefaid a phum buwch yn lloia. Gweithiai gyda giang y cyngor sir yn gofalu am ffyrdd bach y wlad, a dyna a wnâi o hyd, gan fynd ar ei feic i ble bynnag yr oedd ei waith y diwrnod hwnnw.

"Na, agor yr amlen, Megan. Gei di ddarllen beth sydd ganddo i'w ddeud bore 'ma."

Rhwygodd Megan yr amlen yn agored a thynnu dwy ddalen o bapur tenau ohoni. Eisteddodd wrth y bwrdd a chraffu ar bob llythyren a darllen yn uchel:

10fed Awst, 1936

Annwyl deulu bach,

Roeddwn yn falch iawn o dderbyn eich llythyr ddoe yma yn Saint-Jean-de-Luz yn ne Ffrainc, ac yn falch o glywed ichi gael tywydd braf i symud tŷ a'ch bod yn setlo yng Nghraig Afon.

Byddwn yn hwylio ymlaen am Gaerdydd ben bore fory! Llwyth o fwyn haearn o Bilbo yng Ngwlad y Basg yn Sbaen sydd gennym eto – hen stwff budur goblyn hefyd! Ond dyna fo, fawr gwaeth na'r glo rydan ni'n ei gario o'r Barri i Bilbo chwaith, mae'n siŵr.

Taith fer ar draws y gwlff yng nghesail Bae Biscay oedd hi o Bilbo i Saint-Jean-de-Luz, neu i Donibane Lohitzun fel mae'r Basgiaid yn ei ddweud. Dwi'n dweud o Sbaen i Ffrainc, ond Basgiaid ydyn nhw'r ddwy ochr i'r ffin yn fa'ma. Pobl sgwarog, cryf, pryd tywyll ac eithaf tanllyd – ond yn ffrindiau mawr efo ni'r Cymry. Maen nhw'n hoff o ganu hefyd!

Ond maen nhw'n flin y dyddiau yma. Mae hi'n Rhyfel Cartref yn Sbaen ers mis Gorffennaf gyda'r fyddin dan Franco wedi codi yn erbyn Llywodraeth y Bobl.

Ffasgwr ydi Franco. Be ydi hynny, glywa i di'n gofyn, Megan. Wel, dyn sy'n rhoi ei hun yn bennaeth ar ei wlad heb gael caniatâd. Dyn y gwn a'r bom ydi Franco, yn mynnu ei ffordd ei hun ac yn sathru ar bawb. Dydi Ffasgwyr ddim yn credu mewn etholiad a phleidleisio a llywodraethu'n deg. Ac wrth gwrs, mae Franco yn swyddog yn y fyddin ac mae o wedi troi'r fyddin yn erbyn ei bobl ei hun. Mae llawer o'r Basgiaid yn erbyn Franco am fod Llywodraeth y Bobl wedi cynnig ei senedd eu hunain i'r Basgiaid. Mae Ffasgwyr yn casáu unrhyw un sy'n wahanol iddyn nhw ac mae yna hanesion erchyll am yr arteithio a'r lladd sy'n digwydd dan law Franco.

Yn ôl Joseba, hogyn o Bilbo sy'n gweithio efo ni ar fwrdd y St Winifred, roedd 'na streic gan y glowyr yn rhan arall o ogledd Sbaen ryw ddwy flynedd yn ôl ac mi ymosododd Franco a'i filwyr gan ladd tair mil ohonyn nhw. Mae docwyr glo Caerdydd yn lloerig am hynny hefyd.

Rhaid i mi fynd i'r lan i bostio hwn rŵan. Megan – dwi'n gobeithio y bydd Nel yn dod i'r golwg yn fuan. Robin – gobeithio dy fod tithau wedi cael joban handi gan nad oes raid iti fynd i fwydo'r moch a'r ieir yn Nhywyn Bach.

Am Gaerdydd fory, ond rydan ni'n llwytho mwy o lo i ddod yn ôl yn syth i Bilbo, felly fedra i ddim dod i weld y tŷ newydd am sbelan eto.

Cofion gorau, Wmffra

O.N. Dwi wedi cael pêl galed o Wlad y Basg iti, Robin. Ddysga i

gêm newydd iti pan ddof adra ond mae angen iti gael hyd i
ddwy wal uchel heb ffenest yn gwneud siâp 'L' – un wal fer ac un
wal hir ar yr ochr chwith.

"Chwarae teg i'r hen Wmffra!" meddai Morfudd. "Mi fydd hi'n braf ei weld, yn bydd? Tydi o ddim wedi bod yn ôl ers naw mis."

"Gobeithio y daw o cyn Dolig, yntê?" meddai Robin.

"Meddwl am dy bêl wyt ti, boi bach," tynnodd Megan ei goes.

"Na! Ond mi fasa'n dda cael gêm hefyd. Does yna fawr o le rownd y tŷ 'ma."

"Tyrd – mi awn ni i'r cae y tu ôl i'r ysgol i weld oes yna griw," meddai Megan. "Hwyrach fod yna ddwy wal i Wmffra yno yn y cefn hefyd."

I fyny'r lôn o ganol y pentref yr oedd yr ysgol, gyda chae diogel braf ar y ddôl y tu ôl iddi. Roedd rhyw ddeg o blant o wahanol oedran yno yn chwarae rownderi pan gyrhaeddodd Megan a Robin. Daliai bachgen gyda gwallt golau iawn y bat. Wrth i Megan a Robin gamu drwy'r giât i'r cae, trawodd chwip o ergyd a rhedodd at y polyn cyntaf. Cododd y bêl fel enfys yn uchel i'r awyr ac yna sylweddolodd Megan ei bod yn dod yn uniongyrchol tuag atyn nhw ill dau.

"Gwylia dy hun, Robin!" Wrth i'r bêl ddisgyn at y ddaear, gwaeddodd Megan ei rhybudd wrth ei brawd bach a rhoddodd dri cham ymlaen a dal y bêl yn ddiogel yn ei dwylo. Atseiniodd y glec a wnaeth y bêl wrth daro cledrau ei dwylo dros y ddôl.

Fferrodd y chwaraewyr yn eu hunfan. Roedd y pen golau

ar ei ffordd at y polyn olaf, ond roedd yntau wedi rhewi'n stond a golwg flin ar ei wyneb. Un o'r plant lleiaf oedd y cyntaf i dorri ar y tawelwch.

"Hwrê! Ti 'di cael dy ddal, Jimi! Ti allan!"

"Cau dy geg, y bwbach," poerodd hwnnw.

Cyrhaeddodd Megan y criw.

"Eich pêl chi yn ôl," meddai, a'i thaflu at yr un oedd yn bowlio.

"Tydi hon ddim yn chwarae yn ein gêm ni," meddai Jimi wedyn. "Tydi'r daliad yna ddim yn cyfri, felly."

"Dod i weld oes yna siawns am gêm i Robin a finnau roeddan ni," eglurodd Megan.

Un o'r tîm oedd yn maesu atebodd. Hogyn main a thal gyda llygaid glas.

"Cewch siŵr. Gareth ydi fy enw fi a fi ydi capten y tîm sy'n bowlio rŵan. Gei di ddod atom ni a geith y boi bach fynd i dîm Jimi yn fan'cw. Be ydi'i enw fo?"

"Robin, a Megan ydw innau!"

"Robin sydd i fatio nesaf."

"Hei," gwaeddodd Jimi, 'fi sy'n cael deud pwy sy'n batio. Am nad oedd y daliad yna'n cyfri, doedd y tafliad ddim chwaith. 'Nhro i i fatio eto, felly."

Ailffurfiwyd y patrwm chwarae ac aeth Megan i sefyll o fewn y bocs, i'r dde o'r bowliwr. Bowliwyd y bêl at Jimi.

"Rhy bell o'r marc!" gwaeddodd Jimi. "Tafla eto."

"Rhy uchel!" gwaeddodd am yr ail bêl.

Roedd y drydedd bêl yn berffaith. Chwipiodd ei fraich yn ôl, a chlec! Saethodd y bêl yn isel a chaled oddi ar y bat.

Saethodd yn syth am wyneb Megan. Roedd hithau'n

ddigon effro i godi ei dwy law i fyny i arbed ei hwyneb a'u cau fel cwpan wrth i'r bêl eu taro. Gwasgodd ei bysedd yn dynn.

Pan ostyngodd ei dwylo, gwelodd fod Gareth â'i freichiau yn yr awyr y tu ôl i Jimi.

"Daliad gwych, Megan! Ti allan rŵan, Jimi, a does 'na ddim dadl tro 'ma!"

Taflodd Jimi'r bat ar y ddaear.

"Dwi wedi cael hen ddigon ar y chwarae plant yma," cwynodd, ac i ffwrdd ag ef am y giât. Taflodd olwg ddu ar Megan wrth fynd heibio iddi a mwmio "Lwc mwnci!" drwy ddannedd cau.

Aeth y chwarae yn ei flaen drwy'r bore. Daeth Robin a Megan i adnabod mwy o blant y pentref mewn un gêm nag yn yr holl wythnosau cyn hynny. Toc, cyn ei bod hi'n amser cinio, sylwodd Megan fod Lydia wrth y giât ac yn cael hwyl fawr wrth ddilyn y chwarae. Pan ddaeth hi'n amser rhoi'r gorau i'r gêm, croesodd Robin a Megan y ddôl at y giât.

"Go dda chi! Roist ti glec hegar i'r bêl yna unwaith neu ddwy Robin," meddai'r athrawes ifanc. "Mae dy redeg a dy faesu dithau'n wych, Megan. Mi lwyddaist i atal sawl rownder, yn do!"

Gwenai'r ddau fel dwy giât wrth glywed y ganmoliaeth.

"Mae gen i ffafr i'w gofyn i chi hefyd, Lydia," meddai Megan. "Mi wnaethon ni dderbyn llythyr oddi wrth Wmffra y bore 'ma. Dwi erioed wedi sgwennu ato fo ond mi leciwn i wneud. Fasach chi'n fodlon fy helpu i?"

"Brensiach, byswn siŵr, hogan! Ddo i acw yn syth ar ôl cinio ac mi gei dithau ddal y post pnawn. Wyt ti'n gwybod ei gyfeiriad o?"

"Ar ei ffordd i ddociau Caerdydd mae o, ond i swyddfa'r cwmni llongau yn y Barri y byddwn ni'n postio'r llythyrau."

"Dydi ysgol y pentra 'ma'n dda i ddim byd," meddai Robin ar eu traws yn sydyn.

"Be haru ti'n deud peth gwirion fel'na a thithau heb fod ynddi eto, y lemon?" chwarddodd Lydia.

"Gormod o ffenestri ynddi," eglurodd Robin. "Dda i ddim ar gyfer gêm pêl galed Wmffra."

Pennod 4

"Ai disgwyl bỳs i'r dre wyt ti?"

Dychwelodd pen Megan yn ôl o'r cymylau a throi at Tom oedd yn dod dros y bont ac yn anelu'n ôl am Fryn Ffynnon. Roedd Megan wedi bod yn disgwyl a disgwyl am Lydia ers tuag awr bellach ar ben wal gardd Craig Afon. Methai'n lân â deall pam nad oedd yr athrawes ifanc wedi cadw at ei gair ac wedi dod i'w helpu gyda llythyr Wmffra mewn da bryd iddi ddal y post yng Nglandŵr, dros y bont.

"Na, nid disgwyl bỳs."

"Ia, ro'n i'n meddwl mai disgwyl bỳs roeddat ti. Wel, wnaiff y bỳs ddim aros wrth giât tŷ i godi hogan ifanc fel ti, wst ti. A rhaid iti groesi i ochor arall y lôn a mynd i'r lle bỳs fel pawb arall. Yn wahanol i hen greadur fel fi – mi arhosith o flaen y teras i mi, wel'di. He-he-he. A ... a hwyl fawr iti yn y dre 'na."

Edrychodd Megan heibio'r efail at gornel lôn yr ysgol. Wel wir, dim golwg o Lydia. Roedd hi wedi cael hen ddigon. Neidiodd i lawr o ben y wal a dechrau cerdded ar hyd y lôn dros y bont ac allan o'r pentref.

Cyn hir, roedd hi wedi cyrraedd y giât fochyn. Trodd am y llwybr ar draws y cae a dringo'r llethr rhwng y llwyni eithin. A dacw'r môr. Roedd ei meddyliau'n hedfan ar draws y tonnau ac yn meddwl am Wmffra ar fwrdd y *St Winifred*.

Roedd y llong honno wedi gadael de Ffrainc ers tro. Lle'r oedd hi, tybed? Yng ngolwg tir o hyd mae'n siŵr, a'r tonnau'n ei rowlio. Bae Biscay – roedd yr enw'n un cyfarwydd iddi pan fyddai'r sgwrs ar yr aelwyd yn troi at longau a bywyd morwyr. Aeth brawd ei thaid ar ochr ei mam yn llongwr. "Rownd yr Horn", "Bae Biscay", "tonnau fel mynyddoedd" ... roedd y geiriau'n troi yn ei phen. Mi fyddai Lydia wrth ei bodd gyda geiriau fel'na, meddyliodd. Twt, os na fedrai gadw at ei gair, pa werth ydi gwirioni ar eiriau!

Collwyd llong ewythr ei mam yn ochrau Peru amser maith yn ôl ac ni chodwyd neb yn fyw o'r môr. Roedd digon o straeon tebyg gan deuluoedd yr ardal.

Ond mae'n siŵr fod y *St Winifred* wedi teithio yr un cyflymder â'r cerdyn post a'i bod yn nociau Caerdydd erbyn hyn a'r criw wrthi'n ddygn yn dadlwytho'r mwyn haearn. Beth ddwedodd Wmffra mewn llythyr arall ryw dro? Ei bod hi'n cymryd rhyw dair wythnos i wagio ac i ail-lwytho'r llong wrth y cei? Rhywbeth felly. Roedd cyfle iddi sgwennu mwy nag un llythyr, felly.

Heb iddi sylweddoli, roedd hi wedi cyrraedd giât yr ail gae. Aeth yn ei blaen a daeth golygfa Penyberth i'r golwg. Roedd gwaith lefelu'r tir i'w weld ar ben. Ymestynnai aceri eang, priddlyd a gwastad o waelod y llethr at ben draw'r ffedog o dir. Roedd mwy o gytiau wedi'u codi wrth droed y llethr a fframiau rhyw weithdai neu stordai coed a sinc ymhellach draw. Gwelai sypiau o goed a deunydd adeiladu yma ac acw. Pum cant o dai i fil o awyrenwyr – cofiodd Megan y ffigyrau hynny o un o'r sgyrsiau a gawsai gyda Lydia. Bydd pentref yr ysgol fomio ryw saith gwaith yn fwy na Rhydyclafdy, meddyliodd.

Wrth graffu ar batrwm yr adeiladwaith, gwelodd fod strydoedd a llwybrau'n dechrau ymddangos. A dyna'r ddau adeilad go fawr acw wedi'u gosod yn dynn yn ei gilydd. Sylweddolodd fod corneli'r ddau, wrth gyfarfod, yn creu dwy wal ar siâp 'L' a'i phen i lawr – fel hyn – Γ – ac nid oedd yr un ffenest ynddynt. Dyma gwrt chwarae iawn i Wmffra a'i bêl galed, meddyliodd.

Rasiai ei dychymyg wrth geisio dyfalu beth oedd rheolau'r gêm newydd yma o Wlad y Basg. Clywodd gi yn cyfarth yn y pellter. Mae'n siŵr fod angen bat i daro pêl galed. Ond pam dwy wal? Cyfarthiad arall ... yn nes y tro hwn ...

Sylweddolodd yn sydyn ei bod yn adnabod y cyfarthiad. Trodd i edrych yn ôl ar hyd y llwybr. Gwelodd fod rhywun yn nesu at y giât ... a chi defaid ... ci defaid du a gwyn ... un glust ddu ac un ... Nel! Nel ydi hi! Rhedodd Megan i'w chyfeiriad gan alw ar yr ast ifanc, a'r dagrau'n dawnsio yn ei llygaid.

Gwelodd wrth nesu mai Lydia oedd yn cerdded y tu ôl i'r ast. Llamodd yr ast rhwng ffyn y giât, a thoc roedd Megan ar ei gliniau ar lawr yn ei mwytho ac yn dweud ei henw drosodd a throsodd rhwng chwerthin a chrio.

"Dyna olygfa i'w chroesawu!" chwarddodd Lydia wrth gyrraedd at y ddwy. "Ddrwg gen i am fethu dod atat ti ynglŷn â'r llythyr, Megan. Ond Dei Nant, Mynytho, alwodd heibio acw amser cinio – wedi clywed fy mod i wedi bod yn holi am ast fach yn yr ardal. Roedd hon wedi cyrraedd Nant, meddai ac roedd yntau wedi gofalu amdani yn y sgubor nes byddai'n gwybod pwy oedd y perchennog."

"O! Ac mi rwyt ti wedi cael lle da, Nel fach!" Gwelai Megan fod blewyn graenus ar yr ast.

"Ond roedd hi'n crio amdanat ti bob nos, meddai Dafydd."

"A finna'n crio amdanat tithau, Nel! O'n wir!"

"Wel, gewch chi gwmni'ch gilydd heno."

Sythodd Lydia a throi i edrych am Benyberth.

"Mae'r hen le yma'n dechrau edrych yn raenus hefyd. Arian yn llifo pan mae sôn am ryfela bob amser, Megan fach. A dynion o bell yn dechrau llifo yma hefyd, debyg gen i."

"Dyna pam fod angen yr holl dai yma, Lydia?"

"'Chydig iawn o ddynion lleol sy'n gweithio yma rŵan. Mae'r labro mawr drosodd – peirianwyr, penseiri, crefftwyr o bell sydd yma fwyaf."

"Ond mae un neu ddau o Rhyd yn dal yma, meddai Dad?"

"Oes, siŵr gen i. Ddoist ti ar draws Jimi Hen Gapel o'r pentra?"

"Do – roedd o ar y cae chwarae bora 'ma."

"Mae o a'i frawd bach, Meic, yn byw mewn bwthyn dros y bont wrth gefn y post. Mae Edward ei dad o'n dal i gael gwaith yma am ryw hyd. Ond fydd o ddim yma pan fydd gwaith yr ysgol fomio'n dechrau go iawn. Mi fydd yma gannoedd yn dysgu hedfan, yn dysgu anelu a gollwng bomiau."

"Faint o glec mae bom yn ei wneud?"

"Mae yna wahanol fathau. Gei di fomiau mawr sy'n ffrwydro a chwalu strydoedd cyfan o dai. Gei di fomiau nwy fydd yn gwenwyno'r awyr a mygu pobl. A gei di fomiau llai sy'n creu tân. Glywaist ti sôn am y gynnau mawr yn y Rhyfel Mawr, siŵr o fod?"

"Do, do. Roedd D'ewyrth Mei yn fan'no. Roedd o efo'r ceffylau oedd yn tynnu rhai o'r gynnau yna."

"Dyna sut oedd hi rhwng 1914 a 1918 – llusgo gynnau anferth ac ergydio sieliau at linellau'r gelyn. Ond mi fydd y rhyfel nesaf yn wahanol iawn – gollwng y bomiau o'r awyr fyddan nhw a dyna pam yr holl baratoi yma ym Mhenyberth."

"Gollwng bomiau ar linellau'r gelyn, felly?"

"O na, nid hynny'n unig, Megan fach. Dwi wedi clywed gwrthwynebwyr yr ysgol fomio yn disgrifio'r peth. Mae o'n erchyll, yr hyn sy'n mynd i ddigwydd. Torri calonnau'r gelyn fydd y nod ac felly mi fydd yr awyrennau mawr swnllyd yn hedfan at drefi a dinasoedd ac yn gollwng y bomiau ffrwydro ar dai, ysgolion, ysbytai, yn ogystal â ffatrïoedd, rheilffyrdd a dociau. Mi fydd yna awyrennau eraill yn dod wedyn ac yn gollwng y bomiau tân. Ar ôl chwalu'r adeiladau'n domenni o goed a dodrefn, mi fydd y cyfan yn llosgi'n un goelcerth fawr. Dyna sut un fydd y rhyfel nesaf. Dwi'n cofio araith yng Nghaernarfon fis Chwefror diwethaf: 'Pennaf nod y bomio fydd dinistrio dinasoedd, eu llosgi a'u gwenwyno, troi gwareiddiad y canrifoedd yn ulw, gollwng i lawr, allan o ddiogelwch yr awyr, yr angau creulonaf ar wragedd a phlant a gwŷr di-arf a diamddiffyn, a sicrhau, os dianc rhai a'u bywydau ganddynt, na bydd nac annedd na bwyd i'w porthi nac aelwyd i'w cadw yn fyw.' Mae'n erchyll. A dyna'r addysg fydd yn cael ei dysgu yma yn yr ysgol fomio."

Sobrodd Megan drwyddi.

"Felly nid milwyr yn erbyn milwyr fydd y rhyfel ond milwyr yn erbyn pobl ... a phlant ... teuluoedd ... "

"Mae'n rhy erchyll i feddwl am y peth, yn tydi? Ond mi

fydd milwyr yn erbyn milwyr hefyd, wrth gwrs. Mi fydd awyrennau'n dod i fomio tanciau'r gelyn, trenau'r gelyn – meysydd awyr y gelyn, mae'n siŵr … "

"Penyberth! Fyddan nhw'n bomio Penyberth?"

"Mae yna beryg o hynny, does dim dwywaith amdani. A llongau'r gelyn ar y môr …"

"Llongau?"

Sylweddolodd Lydia'n syth ei bod wedi sathru ar dir poenus. Trodd gyfeiriad y sgwrs.

"Wyt ti'n gweld yr holl bridd yna?" meddai, gan bwyntio at ddaear Penyberth.

Nodiodd Megan.

"Gwilym y gof sy'n deud – ac mae o'n gwybod gan ei fod o'n hen law ar wneud trapiau dal tyrchod daear. Deud yr oedd o y bydd tyrchod y wlad yn hel i Benyberth ar ôl yr holl chwalu a symud pridd. Mae'r pridd yn llac, meddai Gwilym, ac mi fydd y tyrchod yn medru tyrchu'n hawdd yma!"

"Mi fydd yna dwmpathau tyrchod daear dros y lle, felly!" chwarddodd Megan.

"Dychmyga awyren yn codi gwib er mwyn esgyn i'r awyr ac yn gorfod gweu llwybr igam-ogam rhwng y twmpathau!"

"Gwell fyth," meddai Megan, "fyddai gweld clamp o greadur – cawr o dwrch daear – yn codi ANFERTH o dwmpath yma ryw noson, ac wedyn fyddai yr un awyren yn medru hedfan i fynd i fomio Porth Neigwl!"

"Mae hwnna'n syniad ardderchog, Megan fach. Tyrd, mi awn ni i Graig Afon i sgwennu'r llythyr yna at dy frawd."

"Yma, Nel! Tyrd, Nel!"

Trodd y ddwy yn ôl am y llwybr tarw.

* * *

"Sut mae dechrau?" holodd Megan.

"Edrych ar lythyr dy frawd – dyddiad ar dop y dudalen ar y llaw dde, ac wedyn 'Annwyl ...' ar y llaw chwith. Be roi di, 'Annwyl frawd'?"

"Naci. 'Annwyl Wmffra' –

"Annwyl Wmffra,
Ac mae Nel wedi dod yma o'r diwedd ... "

"Syniad rhagorol ydi dechrau gyda'r newyddion da yna, Megan," canmolodd Lydia. "Ond fedri di ddim dechrau brawddeg gyda'r gair 'A'."

"Ond mae Tom Bryn Ffynnon yn gwneud hynny drwy'r amser."

"Dyna pam fod rhai yn ei alw fo'n 'Tom Ac Ac'. Gofala di nad wyt ti'n gwneud hynny. Rŵan, 'nôl at y papur yna. Mae arnan ni eisiau dal y post ... Wyt ti am sôn am dyrchod daear Penyberth yn dy lythyr?"

"Ydw. Ac am y gobaith y bydd yna un cawr o dwrch yn dod yna ac yn codi clamp o dwmpath i roi stop ar yr hen bethau yna. Dwi'n gwybod y bydd Wmffra wrth ei fodd yn clywed hynny ..."

Pennod 5

"Pryd fydd bỳs o'r dre yma, Mam?" Roedd Robin wedi gofyn yr un cwestiwn ers gorffen ei ginio.

"Ddim mymryn cynt na chwarter wedi pedwar."

"Faint o'r gloch ydi hi rŵan?"

Roedd amser wedi mynd yn ara' deg iawn yng Nghraig Afon ers pan ddaeth y postmon â cherdyn post o Gaerdydd yno'r bore hwnnw. Ychydig eiriau oedd arno, ond roedd yn llawn o'r newydd gorau un:

"Annwyl deulu bach,
Y capten wedi rhoi pedwar diwrnod o seibiant i'r criw i gyd gan ein bod wedi gwagio'r llwyth yn gyflym. Ar y trên fory ac mi gaf fỳs o Bwllheli am 4. Mynd yn fy ôl ddydd Mawrth.
Methu aros i'ch gweld a chael golwg ar y tŷ newydd.
Cofion gorau,
Wmffra."

Ychydig eiliadau wedi pedwar y pnawn, roedd Robin wedi llusgo Megan i'w ganlyn i sefyll yn y lle bỳs o flaen yr efail. Wynebai'r ddau y bont a'r post gan ddisgwyl gweld y bỳs unrhyw eiliad.

Ymhen rhyw ddeng munud, pwy ddaeth dros y bont ond Jimi Hen Gapel. Doedd y caledwch oedd yn ei lygaid pan adawodd y cae chwarae'r wythnos cynt ddim wedi meddalu dim wrth iddo weld y brawd a'r chwaer o'i flaen.

"Disgwyl bỳs dach chi? Gobeithio'r aiff hi â chi'n ôl i lle bynnag y daethoch chi, ddeuda i."

Clywodd Megan ei brawd yn closio at ei braich a theimlodd fod yn rhaid iddi ddal ei thir, er bod Jimi i'w weld yn rhyw flwyddyn neu ddwy yn hŷn na hi.

"Mae hwn yn bentra i ni rŵan hefyd. Rhaid iti ddysgu rhannu."

"Pwy wyt ti i ddod yma a 'nysgu i be 'di be?"

Roedd mwy o fygythiad yn ei lais erbyn hyn ac roedd wedi croesi i ganol y ffordd a sgwario o'u blaenau.

"Rhaid iti ddysgu colli hefyd," gwthiodd Megan ei chyllell ynddo. "Hogia bach iawn sy ddim yn medru colli."

"Gawn ni weld pwy ydi'r un fach pan ddoi di i'n ysgol i yr wythnos nesa. 'Dan ni'n rhoi pennau genod Fform Wan yn bin y bwyd moch, w'sti. Mi fydd dy wallt di'n gwstard i gyd, gei di weld."

Doedd Megan ddim wedi meddwl llawer am yr ysgol sentral tan hynny. Teimlodd bwysau'n codi y tu mewn iddi ond gwyddai nad oedd wiw iddi ddangos gwendid y tro hwn.

"Ti'n siŵr mai bin bwyd moch ydi o, nid bin bwyd i'r gweithiwrs ym Mhenyberth?"

"Be ti'n feddwl yn deud ffasiwn beth?" Safodd Jimi wedi'i syfrdanu.

"Dyna mae dy dad yn ei gael yno, yntê?" Synhwyrodd Megan fod y bwli bach wedi'i ysgwyd. "Mae dynion yr awyrennau'n cael crîm cêcs ond bwyd moch i'r slafiwrs caib a rhaw."

"Mae Dad yn cael lle da yno a ..."

"... a bydd o'n cael ei hel o'no mewn 'chydig. Mae'i waith o'n dod i ben rŵan, yn dydi, a dynion rhyfel o bell fydd yn dod yna wedyn."

"Dyna ydi hyn, yntê?" Fflachiodd llygaid Jimi. "Ti'n un o'r hen betha Welsh yna dwyt. Ddim isio i'r ysgol fomio ddod â gwaith i ddynion Llŷn. Mi aeth Dad â wyau ein hieir ni efo fo i'w taflu at y petha Welsh yna yn y cyfarfod mawr ar y Maes yn y dre ddechrau'r haf, a gweiddi 'Gwaith! Gwaith! Gwaith!'"

"Wel, da iawn fo fod ganddo fo wyau," atebodd Megan, gan gymryd cam ato a phwyntio'i bys i'w wyneb. "Fydd eich ieir chi wedi dychryn gormod i ddodwy pan fydd 'na awyrennau yn codi dros y gefnen acw ac yn rhuo i fomio Porth Neigwl!"

"Megan – y bỳs!" Roedd Robin wedi cydio yn ei braich arall ac yn ei thynnu'n ôl. Gwelodd Jimi ei gyfle i gilio o'r ddadl gyda pheth urddas drwy godi'i ên yn ddirmygus a throi i gerdded yn ei flaen am y cae chwarae.

Gwichiodd brêcs y bỳs ac agorodd y drws. Ar hynny dyma lanc â lliw'r haul wedi melynu'i groen a gwên lydan yn neidio oddi arno.

"Wmffra!" llefodd Robin gan roi ras am ei freichiau. Roedd un o'r rheiny'n cario bag llongwr ond taflodd hwnnw o'r neilltu i wasgu'i frawd bach. Rhedodd Megan i'w gofleidio hefyd.

Roedd hi'n amlwg bod Morfudd Huws wedi bod ar bigau'r drain yn ffenest y tŷ. Agorodd y drws a daeth hithau ar draws y lôn wrth i'r bỳs adael y pentref.

"Gest ti daith iawn, Wmffra? Mi gymerodd hi oriau iti,

mae'n siŵr. Tyrd, mae te ar y bwrdd. Mi fydd 'na sbel nes daw
dy dad adra ac mi gawn ni swper iawn bryd hynny. O! Mae 'na
liw da arnat ti ... "

Parablus iawn fu'r pedwar dros baned a thamaid yng
nghegin Craig Afon. Y fam a'r plant iau yn holi'r llongwr yn
dwll am y môr a'r gwaith a'r gwledydd pell, ac Wmffra yntau'n
ceisio godro hanes yr ardal, ei hen ffrindiau a'r symud i
Rydyclafdy. Cwestiwn Robin a daflodd y sgwrs i dawelwch
mwyaf sydyn.

"Wel, gawn ni weld y bêl, 'ta?"

Syllodd y tri arall arno'n syn.

"Y bêl galed o Wlad y Basg," esboniodd Robin. "Roeddat
ti'n sôn amdani yn dy lythyr."

Cododd Wmffra ac aeth i chwilota yn ei fag llongwr.
Dangosodd bêl fechan ledr, debyg i bêl griced iddyn nhw, ond
ei bod yn llai ac yn ddu. Roedd ganddo hefyd ddau fat tebyg i
fatiau tennis bwrdd siâp wy, ond eu bod yn bren. Roedd
ganddo ddarn o sialc yn ogystal.

"Gawsoch chi o hyd i ddwy wal uchel siâp Γ?"

* * *

"Perffaith!" meddai Wmffra wrth weld waliau'r ddau adeilad
uchel yn ysgol fomio Penyberth o'r llwybr at y bryn hir.

"Mae'r gweithwyr wedi rhoi'r gorau iddi am y dydd. Awn ni i
lawr yna?"

Cerddodd y tri i lawr y llwybr rhwng y cloddiau drain a
chyn hir roeddent o flaen y wal fyrraf o'r ddwy.

"Pilota ydi enw'r gêm yng Ngwlad y Basg," esboniodd

Wmffra. "Dwi'n tynnu llinell uchder top y goes ar hyd styllod gwaelod y wal fach yma."

Gwnaeth hynny gyda'r sialc ac yna aeth at y wal hir ar y llaw chwith.

"A dwi'n tynnu llinell uchder pen dyn ar hyd hon."

Concrid oedd ar lawr yng nghesail y ddwy wal. Mesurodd Wmffra ddeg cam o flaen y wal fach a thynnodd linell yn gyfochrog â hi at waelod y wal hir.

"Reit. Dach chi'n barod? Dwi'n sefyll y tu ôl i'r llinell yma ar y llawr ac yn wynebu'r wal fach. Rhaid imi daro'r bêl efo'r bat yma a rhaid iddi daro'r wal fach uwch llinell sialc. Mi alla i ei hergydio hi fel ei bod hi'n adlamu oddi ar y wal fach a tharo'r wal fawr – ond rhaid iddi daro'r wal fawr uwchlaw'r llinell uchel yna. Os ydi hi'n taro'r ddwy wal neu beidio, rhaid i'r gwrthwynebydd daro'r bêl naill ai yn syth oddi ar un o'r waliau neu ar ôl iddi fownsio dim ond un waith ar y llawr. Mi wna i chwarae yn erbyn fi fy hun i ddangos ichi."

Batiodd Wmffra'r bêl fach yn galed, gan daro'r wal fach yn uchel ar y llaw chwith a chreu clec swnllyd yn erbyn y styllod pren. Adlamodd a tharo'r wal hir uwchlaw'r llinell sialc, bownsiodd ar y llawr a rhedodd Wmffra ati a'i batio yn erbyn y wal fach. Y tro hwn, adlamodd yn syth o'r wal fach i'r llawr. Rhedodd Wmffra i'r dde, batio'r bêl yn galed ac yn uchel i ganol y wal fach, gan beri iddi adlamu ymhell yn ôl ar ganol y wal hir. Nid oedd ganddo obaith o redeg yno i'w tharo eto cyn iddi fownsio deirgwaith ar y cerrig.

"Whiw! Mae hi'n gêm gyflym. Dwi wedi colli 'ngwynt yn barod!" chwarddodd Wmffra. "Does yna ddim llawer o le i redeg ar longau. Ond mae'r Basgiaid wrth eu boddau'n chwarae hon bob cyfle posib. Maen nhw'n eu chwarae wrth gorneli ffatrïoedd ac adeiladau ar y dociau amser cinio, hyd yn oed. Ond yn y trefi, mae ganddyn nhw gwrt pwrpasol yn un o'r sgwariau, ac mi fydd cannoedd yn dod i wylio gemau gyda'r nos neu ar ddyddiau marchnad. Un yn erbyn un, neu ddau yn erbyn dau ydi hi fel arfer. Ennill pwynt drwy fod y gwrthwynebydd yn methu taro'r bêl ar ôl iddi fownsio dim ond unwaith, neu fod hwnnw'n methu cael y bêl uwchlaw'r ddwy linell sydd wedi'u marcio. Dach chi'n barod i roi cynnig arni? Megan yn fy erbyn i yn gyntaf. Y ddau ohonon ni y tu ôl i'r llinell yma. Barod?"

Waldiodd Wmffra'r bêl at y wal fach. Daeth yn syth yn ôl a bownsio o flaen Megan. Llwyddodd hithau i fatio'r bêl ond yna trawodd y wal o dan y llinell sialc.

"Hen dro. Marc i fi. Gad i Robin gael cynnig arni rŵan."

Cyflwynodd Wmffra'r bêl mewn ffordd ddigon tebyg i Robin. Amserodd yntau'i ergyd, gan roi nerth ei fraich y tu ôl i'r bat. Saethodd y bêl yn uchel at y wal fach, ei tharo gyda "chlec!" uchel ac yna ymhell uwchben Wmffra i gefn y cwrt. Rhedodd Wmffra yn ei ôl cyn gynted ag y medrai ond roedd y bêl wedi bownsio ddwywaith cyn iddo'i tharo.

"Da iawn, Robin! Marc i ti. Dach chi'n dechrau 'i dallt hi! Reit, gewch chi chwarae yn erbyn eich gilydd rŵan – dwi wedi rhedeg digon!"

Am y deng munud nesaf, bu Robin a Megan yn waldio'r bêl yn erbyn y waliau pren. Weithiau byddai'r bêl yn taro'r ddwy wal a byddai dwy "glec" uchel yn dilyn ei gilydd, gan atseinio dros y lle gan fod yr adeiladau'n wag. Wrth i'r ddau ddod yn fwy profiadol, cyflymodd y chwarae a chynyddodd yr

Pennod 6

Wmffra dorrodd y distawrwydd chwithig ar ôl cwestiwn y dyn â'r gwn.

"Dydan ni ddim yn gwneud dim drwg i'r waliau," pwysleisiodd. "Ylwch, dydi'r bêl yma ddim yn gadael marc arnyn nhw, hyd yn oed. Dim ond dangos gêm newydd i'r plant yma."

Waldiodd y bêl at styllod pren y wal hir. Atseiniodd y glec unwaith eto, ond doedd y pren ddim tamaid gwaeth.

"Mae'n swnio'n waeth nag ydi o mewn gwirionedd am fod y siediau yma'n wag," eglurodd Wmffra.

"Fyddan nhw ddim yn wag yn hir," atebodd dyn y gwn yn swta. "Chewch chi ddim dod yma wedyn."

"Mae'n iawn am y tro, felly?" meddai Wmffra'n reit gadarn.

"Mond ichi beidio cyffwrdd yn y pentyrrau coed yna, na symud dim byd."

"Wnawn ni ddim, bendant ichi," meddai Wmffra eto. "Chi sy'n edrych ar ôl y lle yma?"

"Y fi ydi'r gwyliwr nos. Fi sy'n edrych ar ôl popeth yn y lle yma drwy'r nos."

"Dach chi'n saethu lladron efo'r gwn 'na?" Roedd Robin wedi cael hyd i'w lais bellach.

"Does yna neb wedi bod ar gyfyl y lle yma – 'blaw chi. A ddaw 'na neb chwaith. Fasa 'na neb yn meiddio trio dwyn stwff y llywodraeth, siŵr. Na, gwn hela ydi hwn."

"Mae'r ci yna i'w weld yn un clyfar." Aeth Wmffra ati i ganmol yr anifail er mwyn cynhesu calon y gwyliwr.

"Ydi, mae o'n un garw pan fydd o ar drywydd cwningod. Fel mellten. Does yma ddim arall i'w wneud drwy'r nos, a deud y gwir – mi awn ni ar hyd y llwyni eithin acw a draw dros afon Geirch am Goed Cae-rhos a Choed Cefn Llanfair."

"Ambell ffesant i'w chael yn fan'no?" awgrymodd Wmffra.

"Ambell un ... awn ni ddim i fanylu," atebodd y Gwyliwr gan roi winc arno. "Ond mae'r cipar a finnau'n dallt ein gilydd. Gadwch bopeth fel cawsoch chi nhw. 'Dan ni'n mynd am y coed."

Cerddodd y gwyliwr nos heibio talcen y wal fer a'r ci wrth ei sodlau.

"Pum munud bach arall?" cynigiodd Wmffra. "Wedyn mi fydd yn rhaid inni ei throi hi am adra. Mi fydd Dad yn ôl o'i waith ac mi fydd hi'n amser swper."

Robin a gafodd yr hwyl fwyaf ar y gêm newydd. Tyfai fodfedd neu ddwy o daldra bob tro roedd ei frawd mawr yn canmol nerth a chywirdeb ei ergydion. Y gêm pilota oedd yn llenwi'i ben ar y ffordd yn ôl i fyny'r llethr.

"Welaist ti nhw'n chwarae pilota yng Ngwlad y Basg, Wmffra?"

"Lawer gwaith. Mae hi'n un o'r gêmau pêl cyflymaf yn y byd, w'sti, ac mae hi'n werth gweld y Basgiaid ifanc yn rhedeg a neidio'n uchel ac yn gwneud pob math o gampau."

Roedd y tri wedi cyrraedd crib y gefnen erbyn hyn.

"Mae yna ddau wrth y giât yn fan'cw," sylwodd Wmffra.

"Lydia Penrhynydyn ydi un ohonyn nhw," meddai Megan. "Hi wnaeth fy helpu i sgwennu'r llythyr atat ti. Wn i ddim pwy sydd hefo hi, chwaith."

Wrth nesu at y giât, gwelsant ŵr canol oed gweddol fychan gyda thalcen llydan dan ei het mynd-a-dod. Gwisgai esgidiau cerdded a sanau gwlân trwchus at ei bengliniau. Roedd wedi plygu coesau ei drowsus a chodi'r sanau drostynt. Ar fynwes ei gôt roedd sbienddrych yn hongian.

"Helô," meddai Wmffra gyda gwên. "Clywed mai chi sydd wedi bod yn helpu Megan yma i sgwennu ata i. Wmffra ydw i. Mae hi'n dipyn o giamstar efo geiriau rŵan, tydi?"

"Dda gen i dy gyfarfod di, Wmffra. Ydi, mae sgwennu Megan yn ardderchog. Isio iddi ddal ati. Dyfal donc a dyr y garreg – drwy ymarfer mae meistroli unrhyw beth, yntê? O! A dyma Mr Lewis o Abertawe. Mae o ... mae o yma ar ei wyliau ac yn hoff o wylio adar."

"Mae'r hynaws Miss Roberts wedi bod mor foneddigaidd â dangos nyth tylluan wen imi yn yr ysgubor ar ei fferm," eglurodd Mr Lewis.

Dyna ffordd od o siarad, meddyliodd Megan. A dyna lais gwahanol i'r un llais a glywsai o'r blaen, hefyd. Ond dyna fo, doedd hi erioed wedi cyfarfod neb o Abertawe o'r blaen ac efallai mai dyna sut roedd pawb yn siarad yno. Ond roedd ganddo lygaid treiddgar fel cath, ac roedd hi'n rhaid gwrando arno pan oedd yn siarad.

"Rydym newydd glywed y gylfinir," meddai Mr Lewis wedyn. "Ydych chi'n adnabod ei chwiban hir hi, blant? Mae'r adeg hon o'r flwyddyn yn amser da iawn i ddod i Lŷn, gan fod cymaint o adar yn symud o'r mynydd i'r glannau, adar yn mudo i'r de ac adar yn cyrraedd yma o'r gogledd pell."

Wrth iddo sôn am fyd yr adar, roedd yn tapio'r sbienddrych ar ei frest.

"Ydi'r gwydrau yna'n rhai cryf?" gofynnodd Robin.

"Hoffet ti eu benthyca am ychydig iti gael golwg drwyddyn nhw?" cynigiodd Mr Lewis, gan dynnu'r sbienddrych oddi am ei wddw a'u hymestyn at Robin.

"Gofal efo rheina, Robin," siarsiodd Lydia, gan eu derbyn a'u dal o flaen llygaid y bachgen. "Rho'r bat yna i lawr am ychydig a chydia'n ofalus yn hwn. Lle weli di rŵan? Beth am fan'cw, yr ochor draw i'r môr?"

"Argol, mae'r tai yna'n fawr!" rhyfeddodd Robin.

"Gad inni ei symud o draw i'r chwith," meddai Lydia. "Be weli di rŵan?"

"Tŵr eglwys ydi o? Naci, castell," meddai Robin.

"Castell Harlech ydi hwn'na," eglurodd Lydia. Yna cododd a rhoi'r gwydrau i Megan, gan droi at Mr Lewis yr un pryd. "Pan fydd goleuadau Pwllheli yn fan'cw yn darfod a goleuadau Harlech yn dechrau, mi fyddwch wedi cyrraedd y giât yma."

"O! Wela i Fynydd Pot Jam yn hollol glir," llefodd Megan.

"Pot Jam? Dyna enw anarferol ar fynydd," meddai Mr Lewis.

"Megan yma sy'n cofio'r enw llafar gwlad wnes i ei ddeud wrthi," eglurodd Lydia. "Foel Fawr ydi'r enw swyddogol."

"Gwell cadw at yr enwau cywir, efallai," oedd sylw Mr Lewis.

"Foel Gron, Garn Saethon, Mynydd Tirycwmwd ... "

Rhestrai Megan yr enwau wrth symud y gwydrau ar hyd y gorwel.

"Rwyt ti wedi dysgu mwy o'r enwau, Megan!" canmolodd Lydia. "Da iawn ti. Mae'n bwysig iti nabod dy gynefin. Dyma'r teulu y soniais i amdano wrthych chi, Mr Lewis – y teulu a gafodd eu troi allan o Borth Neigwl a dod yma i fyw atom ni yn Rhydyclafdy."

"Porth Neigwl!" Sylwodd Megan fod llygaid y gŵr dieithr yn goleuo'n danbaid wrth iddo ebychu enw'r bae. "Deg fferm a saith gan acer yn cael eu cipio gan y llywodraeth!"

"Mae gan ein capten ni ar y *St Winifred* bâr ddigon tebyg i'r rhain," meddai Wmffra gan eu codi at ei lygaid. "O! Mi fedra i weld y gwyliwr nos wrth gyrion y coed yn fan'cw."

"Gwyliwr nos?" gofynnodd Mr Lewis yn frathog.

"Y David Davies hwnnw," esboniodd Lydia. "Fo sy'n gofalu am Benyberth o ddiwedd y diwrnod gwaith tan y bore."

"Ond gofalu am lenwi'i sach efo cwningod mae o y rhan fwyaf o'r amser, yn ôl yr hyn ddwedodd o," chwarddodd Wmffra.

"Rydych chi wedi siarad gydag e?" holodd Mr Lewis.

"Mi ddaeth heibio i weld beth oedd yr holl dwrw roeddan ni'n ei wneud yng nghefn yr adeiladau yna," esboniodd Megan.

"Fuoch chi i lawr ym Mhenyberth?" holodd Lydia mewn syndod.

"Dim ond yn chwarae bat a phêl," meddai Robin.

"A doedd dim gwahaniaeth gan y gofalwr nos, nag oedd e?" gofynnodd Mr Lewis wedyn.

"Doedd o ddim yn hidio gronyn," meddai Wmffra. "Dim llawer o ddim yn ei boeni o, ddwedwn i – cyn belled â'i fod yn cael mynd i'r coed efo'i gi."

"Oedd y ci ganddo fo heno?" holodd Lydia.

"Oedd, a gwn," meddai Robin.

"Gwn!" Roedd y gwreichion yn ôl yn llygaid Mr Lewis.

"Mae'r nosweithiau yma'n olau braf gan fod y lleuad yn llenwi rŵan," meddai Wmffra. "Mae hi'n nefoedd i heliwr a'i gi. Lleuad lawn nos Lun, dwi'n meddwl."

"Ia, a hanner olaf y lleuad wythnos i nos Lun," meddai Lydia.

"Ond mae yna olau da ar hanner lleuad ym mis Medi," ychwanegodd Wmffra, gan droi at ei frawd a'i chwaer. "Oeddach chi'ch dau yn gwybod bod y lleuad yn nes at ein hochor ni o'r byd yr adeg yma o'r flwyddyn ac felly'n taflu mwy o olau yn y nos?"

"Digon hawdd ichi weld mai llongwr ydi Wmffra yma," eglurodd Lydia wrth Mr Lewis.

"Ar y môr ydych chi?" gofynnodd Mr Lewis. Derbyniodd y sbienddrych yn ôl gan Wmffra. "Diolch ... Mae'n siŵr eich bod chi'n gweld adar rhyfeddol ar eich mordeithiau i'r gwledydd tramor?"

"Ddigon gwir, ond does neb yn medru deud eu henwau wrtha i, chwaith."

"Trueni."

Ar hynny, ymesgusododd Wmffra ar ran y tri a dweud ei bod hi'n amser iddyn nhw fynd am eu swper. Gadawsant y giât yn agored i Lydia a Mr Lewis fynd yn eu blaenau ar hyd y llwybr.

Wrth gerdded i lawr rhwng y llwyni eithin, trodd Megan ddarnau o'r sgwrs rownd a rownd yn ei phen. Pam roedd Lydia wedi sôn am oleuadau nos Pwllheli a Harlech wrth Mr Lewis? Pam fyddai o eisiau gwybod lle'r oedd y giât yn y nos? Gwylio tylluanod yr oedd o, efallai. Wedi'r cyfan, roedd wedi cyfeirio at y dylluan wen honno ym Mhenrhynydyn ...

A sut ei fod o'n cofio'n union faint o ffermydd a faint o dir oedd wedi cael ei ddwyn oddi ar eu teuluoedd nhw ym Mhorth Neigwl? Poeni am yr adar oedd o, mae'n siŵr. Ia, penderfynodd – dyn adar oedd Mr Lewis. Roedd llawer o adar y glannau yn nythu yn y gwellt tal ar hyd y twyni. Byddai sŵn yr awyrennau a'r bomiau yna yn sicr o amharu arnyn nhw yn eu nythod.

Pennod 7

"Dim ond galw heibio i ddymuno'n dda i'r ddau yma yn yr ysgol fory." Roedd hi'n nos Sul ac roedd gwyliau'r haf ar ben, a Lydia wedi rhoi cnoc ar ddrws Craig Afon i weld Megan a Robin cyn iddyn nhw ddechrau yn eu hysgolion newydd drannoeth. "A phob lwc i tithau ar y môr, Wmffra."

"Diolch drostyn nhw i gyd," meddai Ifan Huws. "Dach chi wedi bod yn dda iawn yn helpu'r plant yma i setlo yn yr ardal. Fyddwch chi'n mynd am eich sentral chithau heno, mae'n siŵr?"

"Na," atebodd Lydia. "Mae 'na waith adeiladu wedi bod yno dros yr haf ac mae'r peintiwrs eisiau pythefnos arall i orffen popeth. Dwi'n ddigon lwcus i gael aros adra tan hynny!"

Ben bore Mawrth, roedd yna hen firi yng Nghraig Afon. Oedd dillad ysgol Megan yn ffitio'n iawn? Lle'r oedd esgidiau newydd Robin? Oedd popeth ym mag Wmffra? Wmffra adawodd yn gyntaf gan fod ganddo drên cynnar i'w ddal. Yna daeth bỳs i fynd â Megan i'r sentral ychydig cyn naw a cherddodd Robin i ysgol y pentref.

Arhosodd Megan wrth ffenest flaen Craig Afon nes iddi weld y bỳs yn cyrraedd canol y pentref. Roedd eisoes wedi gweld Jimi yn sefyll gyda gweddill plant y pentref, ac er bod

Gareth a Gwen ac amryw o'r criw y bu'n chwarae rownderi gyda nhw sawl gwaith yn ystod y gwyliau yno hefyd, roedd yn well ganddi gysgod ei chartref ar ei diwrnod cyntaf. Dringodd ar y bỳs gan gadw'i phen i lawr. Sylwodd fod sedd wag wrth ochr Gwen yn union y tu ôl i'r gyrrwr.

"Ydi'n iawn imi eistedd yn hon, Gwen?"

"Ydi siŵr. Mi fyddan ni ill dwy'n mynd i'r un dosbarth, felly waeth inni eistedd wrth ochor ein gilydd ar y bỳs ysgol ddim!"

Chymerodd hi ddim yn hir i Megan glywed llais Jimi yn uchel ei gloch hanner y ffordd i lawr y bỳs. Roedd hi'n amlwg ei fod yn chwilio amdani.

"Lle mae'r hogan Porth Neigwl 'na, imi weld a ydi hi isio 'chydig o wyau ar ei diwrnod cyntaf! Hei – dacw hi yn y tu blaen. Fasat ti'n licio wy ar dy wyneb i frecwast?"

Daeth llais Gareth fel cyllell o rywle.

"Taet ti'n taflu wy ati, fwy na thebyg y byddai hi'n ei ddal o'n lân – yn union fel roedd hi'n dal y peli oddi ar dy fat di, Jimi bach!"

Chwarddodd nifer ar y bỳs ac ni chlywodd Megan yr un gair arall o geg Jimi ar y daith i Bwllheli.

Aeth y diwrnod cyntaf rhagddo yn ddigon di-lol iddi ar ôl hynny. Y dasg anoddaf a gafodd oedd dygymod â chymaint o Saesneg. Dyna oedd iaith y prifathro yn y gwasanaeth, iaith y gofrestr, iaith yr athrawon ar y buarth ac iaith pob un wers ond y wers fach Gymraeg a gawsant ar ôl cinio. Cerdd oedd y wers olaf un a phan aeth i mewn i'r stafell gerdd, gwelodd fod yr athro wrth y piano. Go dda, meddyliodd, gwers ganu fydd hon. Roedd ganddi lais da ac roedd hi wrth ei bodd yn canu'r caneuon a ddysgodd yn yr ysgol gynradd, yn arbennig y caneuon môr am Borth Dinllaen a glannau Llŷn.

"Quiet, children!" arthiodd yr athro y tu ôl i'r piano. "Come in and sit down in an orderly fashion. You are not a herd of country cattle going to the fair now, you know!"

Disgynnodd cwmwl o dawelwch dros y dosbarth wrth i bob un gael hyd i sedd a desg iddo'i hun.

"I'm Mr Rory, your music teacher. Today, on your first day, the last lesson is a singing lesson where you will learn the songs that you will need to get on in this life. Usually this singing lesson is the last lesson on a Monday. You two boys in the front, distribute the music books on my desk. One copy per child. You two girls, distribute these yellow exercise books, one copy each."

Wrth gael y gorchymyn hwnnw, cododd Gwen a Megan i ddosbarthu'r llyfrau i weddill y disgyblion. Gwelodd Megan mai'r geiriau ar flaen y llyfrau sgwennu melyn oedd 'Pwllheli Central School'.

"You will write your name and class on the cover of the exercise book. Turn to page 22 of your music book, The *Empire Song Book*, and on the first page of your exercise book put today's date, and copy out the verses of the song, 'Rule Britannia'. You will do so now. Quietly."

Tra oedd y dosbarth yn sgwennu'n ddyfal ac yn ddistaw, cerddai Mr Rory rhwng y rhesi yn clecian ei fysedd fel petai'n cadw curiad i gatrawd o filwyr yn gorymdeithio.

"Best writing! Look at that scribble, boy! It's like seaweed on the shore of this back-of-beyond west coast. Tidy now!"

Clywodd Megan ei anadl ar ei gwar wrth iddo blygu y tu ôl

iddi i syllu ar ei gwaith sgwennu.

"What is this jibberish at the top of the page, girl?"

"It's the date, syr."

"No, it's not. The date is the first of September, 1936. What this 'Medi' nonsense?"

"It's Welsh, syr."

"Change it at once! Your ignorance frightens me!"

Aeth deng munud llafurus heibio.

"Quickly now, it's nearly next week already. Right, this is how the tune goes."

Eisteddodd Mr Rory wrth y piano, codi'i ddwylo'n uchel – oedi – ac yna dechrau dyrnu cyfeiliant *'Rule Britannia'* dros y stafell.

"Excellent stirring stuff. Just the song for you to be singing at your football matches, in pubs and public gatherings. Now, sing."

Taranodd nodau'r piano drachefn. Rhyw linell i mewn i'r gân, stopiodd y cyfeiliant a chododd Mr Rory o'i sedd i wynebu'r dosbarth.

"I said 'sing', children. All I heard was a few bees murmuring in the autumn bushes of this barbaric landscape! Now open your mouths and sing with pride ... "

Ac felly'r aeth yr hanner awr rhagddi. Rhyddhad mawr i Megan oedd clywed y gloch yn canu i nodi diwedd y wers a diwedd y diwrnod cyntaf. Cyn i'r plant adael am eu bysys, roedd gan Mr Rory waith cartref iddynt.

"Your homework today is to wrap a cover of rough paper tidily around your music exercise book and learn this song by next Monday. Learn every word! I will be testing you one at a time. Now go home to your caves in the rocks!"

Wrth ddod i lawr oddi ar y bỳs yng nghanol Rhydyclafdy, gwelodd Megan fod Lydia'n disgwyl amdani.

"Wel, sut aeth hi'r hen hogan? Dim ond mynd am ryw dro bach i weld y môr a'r mynydd, a meddwl y baswn i'n dy ddal di ar y ffordd adref."

"Iawn, am wn i," meddai Megan heb lawer o frwdfrydedd.

"Chawsoch chi ddim 'Eifionydd' R. Williams Parry ganddyn nhw heddiw, felly?"

"Naddo. Rhyw gân *'Britannia'*. A rhaid imi ddysgu pob gair erbyn pnawn Llun nesaf."

"Paid â sôn. Gan Rory Hope and Glory, mae'n siŵr – mae o'n Gymro glân o sir Fôn ond yn cymryd arno nad ydi o'n medru gair o'r iaith. Hidia befo, gei di ganu pethau fydd fwy wrth fodd dy galon di os gwnei di ymuno efo'r gangen o'r Urdd sydd yn y pentra yma."

Wythnos o lapio cloriau papur llwyd am lyfrau sgwennu fu honno i Megan. Bob noson, deuai â llyfrau'r gwahanol wersi adref ac ar ôl mesur, torri a lapio'r cloriau, byddai'n sgwennu 'English', 'Physics', 'History', 'Mathematics' neu 'Geography', yn ôl y gwersi a gafodd y diwrnod hwnnw. Nos Iau oedd y noson orau. Cafodd sgwennu 'Cymraeg' ar lyfr sgwennu, a'i gwaith cartref y noson honno oedd chwilio am eiriau'n odli gyda 'to'.

Gwibiodd yr wythnos gyntaf heibio. O fewn dim o dro roedd hi'n bnawn Llun unwaith eto, ac roedd Lydia wrth yr efail yn disgwyl ei bỳs ysgol.

"Wel Megan, be oedd gan Rory Hope and Glory i'w gynnig iti heddiw?"

"Rory King and Country ydi o heddiw! '*God Save the King*' sydd ganddon ni i'w dysgu yr wythnos yma."

"'Send him victorious!' Geith yr hen rwdlyn weld, myn coblyn i," meddai Lydia rhwng ei dannedd a mynd yn ei blaen dros y bont.

Roedd y tymor yn newid, meddyliodd Megan wrth groesi'r lôn at Graig Afon. Taflodd gip at yr eithin ar y bryn yr ochr draw i'r afon. Roedd lliw oren yr hydref i'w weld yn dechrau crino tyfiant yr haf. Roedd y brwyn a'r hesg gyda'r afon a draw am Gors Geirch yn melynu ac roedd euron coch ar y coed criafol.

Y noson honno, roedd yr hanner lleuad yn danbaid ac yn fawr yn ffenest llofft Megan. Cysgai hi yn un o'r llofftydd ym mhen blaen y tŷ, yn edrych dros ganol y pentref, yr afon a'r bryn hir. Cododd o'i gwely i weld rhyfeddod y wlad dan olau'r lleuad. Roedd rhuban o darth isel uwch afon Geirch a charthen o lonyddwch dros wely'r dyffryn. Cododd gwynt cryf o'r môr yn ystod yr hwyr ac roedd ambell gwmwl yn cael ei hwylio ar draws yr awyr. Edrychai'r coed fel ysbrydion ar lan yr afon.

Troi a throsi oedd ei hanes hi'r noson honno. Rhwng bod y lleuad yn taro a lluniau'r wlad yn troelli yn ei phen, roedd cwsg yn cadw draw. Rhyw dro clywodd Nel yn cyfarth yn sydyn o'i chwt yn y cefn.

Neidiodd Megan o'i gwely a dychwelyd at y ffenest. Roedd Nel wedi tewi cyn gynted ag yr oedd wedi dechrau cadw sŵn. Edrychodd Megan ar y lleuad eto. Roedd ei phelydrau'n cael eu hadlewyrchu ar ddŵr afon Geirch erbyn hyn gan ei bod wedi symud yn nes at ganol yr awyr. Rhoddai ei golau wedd wahanol ar ysbrydion y coed.

Ond roedd rhywun yn dod dros y bont ...

Rhoddodd Megan ei boch ar wydr y ffenest er mwyn craffu'n well.

Gwraig gweddol fyr gyda chôt fawr a het wlanog ... Wrth iddi droi o'r bont am lôn yr ysgol, daliodd golau'r lleuad ei hwyneb o dan yr het. Adnabu Megan Lydia yn syth. Beth ar y ddaear roedd yr athrawes ifanc yn ei wneud yn crwydro'r wlad ym mherfeddion y nos fel hyn? Efallai mai methu cysgu roedd hi, fel hithau.

Dringodd Megan yn ôl i'w gwely ond bu'n troi a throsi am hydoedd. Llithrai i hanner breuddwydio weithiau a gweld Lydia'n batio'r bêl o Wlad y Basg yn erbyn waliau'r ysgol fomio ym Mhenyberth!

Cyfarthodd Nel eto. Rhwbiodd Megan ei llygaid. Mae'n rhaid bod awr neu ddwy wedi mynd heibio. Roedd y lleuad i'r dde o'i ffenest erbyn hyn. Roedd Nel yn dal i gyfarth y tro hwn. Cododd Megan ac aeth yn nes at y ffenest.

Roedd golau gwahanol ar y wlad, meddyliodd. Nid lleuad arian oedd y lliw yna yr ochr draw i'r bryn hir. Gwelai olau fel petai hi'n gwawrio'n barod. Craffodd yn fanylach. Gwelai fod y golau'n symud. Roedd yn neidio ac yn llamu. Roedd cymylau du yn codi drwyddo. Gwelai sêr bychain tanbaid yn tasgu yng nghanol y golau oren. Ond nid sêr oedden nhw, sylweddolodd – gwreichion. Tân – dyna'r oedd hi'n ei weld ...! Tân yn fflamio yn y nos nes bod canol y pentref bron â bod fel golau dydd ...

"Dad! Dad! Lle'r wyt ti!" gwaeddodd Megan. "Mae rhywle ar dân. Tân mawr, Dad ..."

Clywodd sŵn Ifan Huws yn styrbio yn ei lofft, yn codi'n drwm ar ei draed a brasgamu ar hyd ben y grisiau a rhuthro i mewn i'w stafell. Daeth at y ffenest.

"Be ar y ddaear ...?" ebychodd. "Mae hwnna'n uffar o dân. Yr ochor draw i'r bryn 'na mae o. Penyberth, hogan! Mae'r ysgol fomio ar dân!"

Gwelodd Megan y gwreichion yn tasgu'n uchel i'r nos drachefn. Trodd i edrych ar yr hanner lleuad yn yr awyr.

"Edrych, Dad. Mae'r lleuad yn goch ..."

Pennod 8

Yng nghegin orau'r post yn Rhydyclafdy, roedd cryn ddwsin o bobl y pentref yn gwasgu eu pennau'n nes at y set radio ar ganol y bwrdd. Gwrandawent ar bob gair a gâi ei ddarlledu o Gaerdydd y bore hwnnw.

"*Y brif stori newyddion y bore yma yw bod tân dinistriol wedi bod ar safle'r ysgol fomio ym Mhenyberth, Penrhos, Llŷn, yn ystod yr oriau mân. Galwyd brigâd dân Pwllheli i'r safle ond gan fod y fflamau wedi cydio yn y cytiau, y storfa a'r llwythi coed, doedd dim llawer y gellid ei wneud ond gadael iddo gymryd ei gwrs. Dywedodd yr Uwch-arolygydd Moses Hughes fod tri gŵr wedi derbyn cyfrifoldeb am y tân ac wedi cyflwyno'u hunain i swyddfa'r heddlu ym Mhwllheli am bedwar o'r gloch y bore. Y tri yw'r Parchedig Lewis Valentine, gweinidog gyda'r Bedyddwyr ar gapel y Tabernacl, Llandudno; Mr D. J. Williams, athro o Abergwaun a Mr Saunders Lewis, darlithydd Cymraeg yn y brifysgol yn Abertawe a llywydd Plaid Genedlaethol Cymru. Bydd y tri yn ymddangos o flaen llys ynadon Pwllheli prynhawn heddiw ar gyhuddiad o greu difrod maleisus. Daw rhagor o wybodaeth am y stori hon yn ystod y dydd ...*"

"Parchedig – glywsoch chi hynny?" meddai un wraig oedd wedi gwrando'n astud ar y radio. "Gweinidog o'r efengyl yn gwneud y ffasiwn beth!"

"Lewis Valentine ydi o," meddai Gwilym y gof. "Gŵr arbennig iawn. Dwi wedi'i glywed o'n pregethu lawer gwaith ac mae ganddo rywbeth gwerth chweil i'w ddeud bob tro."

"O leia mae'r polîs wedi'u dal nhw," meddai un arall.

"Naddo." Rhoddodd Ifan Huws ei big i mewn i'r sgwrs. "Y nhw wnaeth gyflwyno'u hunain i'r heddlu. Dyna roedd yr insbector wedi'i ddeud."

"I be oedd isio gwneud peth felly?"

"Er mwyn derbyn cyfrifoldeb. Rhag i neb arall gael y bai. Ac er mwyn egluro eu hachos, mae'n siŵr," meddai Gwilym.

"Os oeddan nhw am fod mor agored, pam na fasan nhw'n tanio'r ysgol fomio yng ngolau dydd, yn lle mynd ati gefn nos fel drwgweithredwyr?"

"Mi fasa 'na fwy o beryg i rywun gael ei frifo yn y dydd, debyg gen i," meddai Ifan.

"Eisio esbonio pam eu bod nhw wedi gweithredu maen nhw." Lydia oedd wedi codi'i llais y tro hwn. "Ac yn y llys y cân nhw wneud hynny."

"Ond mi gân nhw garchar, saff ichi."

"Mae'n amlwg eu bod nhw'n barod i wynebu hynny," meddai Gwilym.

"O! Mi fydd hi'n ddrwg arnyn nhw! Maen nhw wedi llosgi eiddo'r brenin, yn tydyn?"

"Eiddo'r brenin ydi pob darn o ddaear Cymru, dyna ydi gwraidd y drwg." Roedd y gof yn codi'i lais erbyn hyn.

"Pan oeddwn i a naw teulu arall yn cael ein troi allan o'r

ffermdai roeddan ni'n feddwl oedd yn eiddo i ni ym Mhorth Neigwl, dyna pryd ddaru ni ddallt mai'r brenin oedd pia'r tir yn y pen draw. Doedd ganddon ni llais yn y peth." Bu saib o dawelwch ar ôl y geiriau hyn gan Ifan.

"Y brenin piau Cymru gyfan, ac mae o a'i lywodraeth yn cael gwneud fel y myn efo ni," nododd Lydia. "Wyddoch chi pa flwyddyn ydi hi 'leni?"

"1936, wrth gwrs."

"Ia, a be mae hynny'n ei ddeud wrthon ni? Mae'n deud bod yna bedwar can mlynedd union wedi mynd heibio ers Deddf Uno Cymru a Lloegr yn 1536. Nid priodas hapus fu'r uniad hwnnw ond rhoi Cymru, ei thir a'i phobl a'i phlant, yn eiddo i Loegr. A dyna sydd wedi digwydd heddiw. Mae Cymru wedi taro'n ôl."

Safai Megan gan bwyso ar ffrâm drws y ffrynt wrth glywed Lydia'n dweud y newydd hwnnw. Taflodd gip ar draws y lôn. Yr ochr draw i'r bryn, codai rhubanau o fwg du o weddillion yr ysgol fomio i awyr y bore. Roedd oglau'r llosgi yn sur yn ei ffroenau. Ond teimlai rhyw wres yn llenwi'i chalon hefyd wrth wrando ar eiriau Lydia, ei thad a Gwilym y gof.

"Doedd hi'n lwcus dy fod ti newydd gael y set radio yna, Gwyn?" meddai un arall o'r dynion wrth Gwyn y post.

"Lwcus iawn wir, neu fyddan ni ddim callach be sydd wedi digwydd."

"Newydd ddechrau cyflwyno'r newyddion yn Gymraeg maen nhw, w'chi," meddai Gwyn y post. "Dyna pam ges i hon."

"Hen dro na fasan nhw wedi enwi Rhydyclafdy 'ma ar y radio hefyd."

"Dwi'n siŵr ein bod ni'n nes at Benyberth na'r hen Benrhos yna, dach chi ddim yn meddwl?"

"Ia wir," cytunodd Gwyn. "Mi fasa wedi rhoi'r pentra ar y map, yn basa?"

"Hidiwch befo," meddai Lydia. "Aiff y Tân yn Llŷn ddim yn angof yn fuan iawn, gewch chi weld."

Roedd hi'n chwarter wedi wyth bellach ac roedd y cwmni'n dechrau chwalu i ateb galwadau'r dydd.

"Ga i air, Megan?" gofynnodd Lydia'n dawel wrth gerdded allan drwy ddrws y post. Aeth Lydia yn ei blaen i fyny'r lôn i gyfeiriad y dafarn am ychydig ac yna arhosodd am Megan. Doedd dim golwg o'r bỳs ysgol eto felly dilynodd yr eneth yr athrawes ifanc.

"Paid â thindroi a cholli'r bỳs, Megan," galwodd Ifan wrth fynd heibio iddyn nhw ar ei feic i'w waith.

"Dim ond gair bach, Megan," meddai Lydia gan wasgu'i dwy wefus yn dynn at ei gilydd am ennyd. "Glywaist ti enwau'r tri sydd wedi cyflwyno'u hunain i'r heddlu neithiwr, yn do?"

"Do ..."

"Maen nhw'n enwau diarth i ti, mi wn – tydyn nhw ddim o'r ardal yma."

"Val ... Valentine oedd un, yntê, Lydia? Y pregethwr ... "

"Ia. Ia, da iawn ti. Ond mae yna un rwyt ti wedi'i gyfarfod, a rhag ofn iti weld ei lun o yn Y Cymro, roeddwn i'n meddwl y byddai'n syniad i mi dy baratoi di." Cododd Lydia ei golwg at y bryn rhwng y pentref a Phenyberth. "Wyt ti'n cofio Mr Lewis, y dyn adar hwnnw a'i sbienddrych?"

"Mr Lewis ...?"

"Wel, Mr Saunders Lewis ydi ei enw llawn o. Roedd hwnnw'n un o'r enwau glywaist ti ar y radio gynnau."

"Un o'r tri oedd yn llosgi'r ysgol fomio?"

"Ia, Megan. Cadw'n dawel, dyna fyddai gallaf ynglŷn â hynny. Peidio â chymryd arnat. Taw piau hi. Fedri di wneud hynny?"

"Medraf, siŵr. Ond mae hynny'n golygu ..."

"Mae'n golygu dy fod ti wedi gweld Mr Lewis, a dim byd arall, Megan. Glywaist ti'r newyddion. Y mae'r tri yma'n cymryd cyfrifoldeb am y weithred. Does dim angen deud mwy na hynny."

"Nagoes," deallodd Megan.

"Mi fydda i'n mynd i'r llys ynadon i weld beth fydd y cam nesaf y pnawn 'ma ac mi wela i di ar ôl yr ysgol. Ffwrdd â chdi rŵan! Dacw hi'r bỳs, wel'di!"

Rhedodd Megan dros y bont. Roedd y daith i'r ysgol yn ferw gwyllt. Roedd gan bawb ei bwt am ddeffro yn y nos, yr awyr yn goch, a'r mwg yn y bore.

Roedd Jimi yn gandryll. "Carchar ydi'u lle nhw, y cnafon!" gwaeddodd dros y bỳs.

"Hidia befo," meddai Gareth yn ysgafn. "Geith dy dad gadw'i job am 'chydig mwy o wythnosau rŵan – clirio'r llanast a ballu."

Ond ni chymerodd Megan ran yn y trafod. Roedd ei phen yn berwi gyda'r newydd a dorrwyd iddi gan Lydia. Mr Lewis a'i sanau pen-glin yn un o'r llosgwyr! A doedd hi ddim i sôn am y peth wrth neb! Roedd hi'n rhan o gyfrinach fawr y Tân yn Llŷn ...

* * *

Tro i fyny'r lôn, drwy'r giât fochyn, dringo rhwng yr eithin ac yna ar hyd y llwybr tarw a gafodd Lydia a Megan ar ôl te y pnawn hwnnw. Gwyddai Megan, rywsut, mai dyna'r ffordd y cerddai'r ddwy heb i'r un ohonyn nhw ddweud gair. Roedd hi ar bigau'r drain eisiau clywed hanes y llys ym Mhwllheli, ond mynnai Lydia siarad am ei gwersi yn yr ysgol.

"Dyna ti wedi cael wythnos gron yn dy ysgol newydd rŵan, Megan. Ti wedi cael blas ar bob un o'r pynciau newydd. Oes yna rywbeth wedi mynd â dy fryd?"

"Mae Mrs Evans Cwc yn un dda, Lydia. Hi sy'n dysgu *Domestic Science* inni. Mi gawsom ni wneud crempog efo hi ddydd Gwener diwethaf!"

"Ti'n cael blas ar waith yn y gegin, felly?"

"Dyna hoffwn i ei wneud, w'chi. Maen nhw'n dysgu sut i wneud menyn a chaws yng Ngholeg Madrun, Nanhoron. Faswn i wrth fy modd yn cael gwisgo dillad gwyn a gwneud rhywbeth felly."

"Wel, hei lwc iti, 'mechan i. Mae eisiau rhai 'run fath â ti i gadw enw da caws Llŷn. A lle mae Gwynfor Jones wedi dechrau efo chi?"

"Jones Welsh, dach chi'n feddwl?"

"Ia, os oes yn rhaid iti ei alw'n hynny."

"Hen benillion telyn mae o'n eu galw nhw. Wyddoch chi, 'Ar lan y môr mae rhosys cochion' ac ati. Maen nhw'n dlws iawn, tydyn, ac yn hawdd iawn eu canu."

"Ti'n iawn, Megan. Maen nhw gyda'r pethau tlysaf sydd yna yn ein hiaith ni a does neb yn gwybod pwy sgwennon nhw. Maen nhw'n eiddo i bob un ohonon ni."

"O! Ac mae 'na eiriau da, hawdd i'w cofio yn rhai ohonyn

nhw hefyd. 'Derfydd aur a derfydd arian, Derfydd melfed, derfydd sidan ...'"

"'Derfydd pob dilledyn helaeth, Ond er hyn, ni dderfydd hiraeth,'" gorffennodd Lydia'r pennill. "Da iawn fo am eu rhannu nhw, a da iawn ti am eu cofio nhw hefyd."

Erbyn hyn, roedd gweddillion duon yr ysgol fomio wedi dod i'w golwg. Roedd y frigâd dân yno o hyd a dynion yn dechrau fforchio rhai o'r gweddillion yn sypiau i'w clirio. Roedd yno foto-beics ac un neu ddau o'r heddlu hefyd.

"Wyddwn i ddim," meddai Lydia.

"Wyddoch chi ddim be?"

"Wyddwn i ddim fod y tri ohonyn nhw am fynd at yr heddlu a chymryd y cyfrifoldeb i gyd arnyn nhw eu hunain. Doedd hynny ddim wedi cael ei drafod."

"Fydd hi'n ddrwg arnyn nhw?"

"Mi all capel Mr Valentine benderfynu nad ydyn nhw eisiau'r math yna o weinidog, ac y bydd o'n ddi-waith pan ddaw o allan o'r carchar. Wyddwn i ddim, wrth ichi siarad efo Mr Lewis, y byddai ei enw fo ar y radio'r bore yma. Ond maen nhw wedi gwneud hyn i bwrpas a rŵan rhaid inni barchu'r cynllun a pheidio â sôn gair wrth neb."

"Dwi'n dallt hynny, Lydia. Beth ddigwyddodd yn llys Pwllheli y pnawn yma?"

"Mi lwyddais i fynd i mewn i'r seddau cyhoeddus, ond roedd dipyn o sŵn gan lanciau'r dre y tu allan. Roedd pob gair yn y llys yn Saesneg – darllen cyhuddiadau, gohirio'r achos am ryw wythnos a'u rhwymo i gadw'r heddwch am ganpunt y pen. Ddywedodd yr un o'r tri yr un gair. Aeth ceir â nhw am Gaernarfon ac am y de wedyn. Ond mi fydd yna achos mawr cyn bo hir – yn Llys y Goron, Caernarfon, mae'n debyg. Dwi'n deud wrthyt ti, Megan, fydd Cymru fyth yr un fath eto ar ôl yr hyn sydd wedi digwydd yma neithiwr."

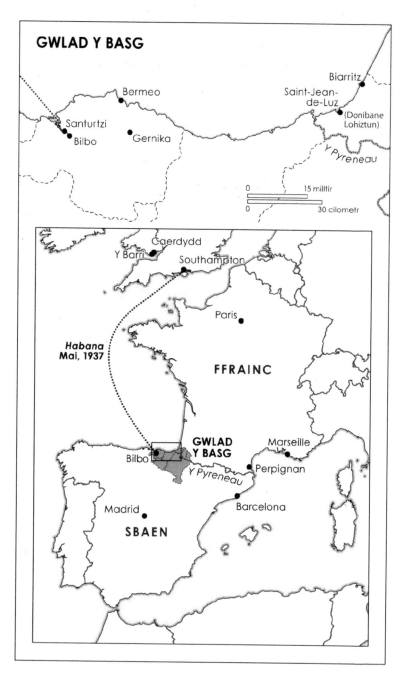

GWLAD Y BASG

Biarritz

Bermeo

Saint-Jean-
de-Luz

Santurtzi

(Donibane
Lohiztun)

Bilbo

Gernika

Y Pyreneau

0   15 milltir

0   30 cilometr

Caerdydd

Y Barri

Southampton

Paris

*Habana
Mai, 1937*

FFRAINC

GWLAD
Y BASG

Marseille

Bilbo

Y Pyreneau

Perpignan

Madrid

Barcelona

SBAEN

Rhan 2

Gernika, Gwlad y Basg
Dydd Llun, 26 Ebrill 1937

Pennod 1

"Mae'r lleuad yn goch, Dad," meddai'r ferch fach wrth yr un oedd yn gafael yn ei llaw. Trodd Miren i edrych arnynt. Doedd y fechan yn ddim ond rhyw chwech oed – tua hanner ei hoed ei hun – meddyliodd Miren. Roedd y tri ohonynt, a rhyw ddwsin arall, wedi llusgo allan o'r ffos ddofn yr oeddent wedi bod yn gorwedd ynddi ers tair awr. Doedd hi ddim yn debygol y byddai'r awyrennau'n dychwelyd. Doedd dim angen iddyn nhw wneud. Yn y dyffryn oddi tanynt gallent weld strydoedd cyfan ar dân. Saethai'r fflamau yn uchel uwch y dref, gan estyn eu lliwiau i'r lleuad. Cordeddai'r mwg du â thywyllwch awyr y nos. Roedd Gernika – y dref gyfan – yn wenfflam.

Yng nghanol y goelcerth, roedd tŵr eglwys San Juan yn llosgi fel ffagl. Yna, fesul modfedd, gwyrodd y tŵr a dechrau disgyn.

Edrychodd Miren o'i chwmpas. Roedd cysgodion y coed tywyll ar y llechwedd yn edrych yn oer a digysur erbyn hyn. Awr go dda ynghynt, roedd eu lloches yn edrych yn hynod o groesawgar. Wrth iddi hi a channoedd o rai eraill ddianc i'r wlad pan oedd y bomiau'n disgyn ar Gernika, roedd hi'n meddwl y byddai'n ddiogel yn y caeau. Ond roedd y gynnau peiriant ar yr awyrennau'n cyrraedd y tir agored yn ogystal.

Gwelodd bobl yn neidio i'r afon a sblashys y bwledi'n tasgu tuag atynt ac yna yn eu llonyddu. Gwelodd lwch yn codi fel stêm poeth ar hyd y ffordd a phobl yn rhedeg ac yna'n disgyn. Gwelodd linellau o bridd a cherrig yn tasgu'n rhesi tuag ati ac yn dod yn nes, yn nes.

Rhedodd. Rhedodd a rhedodd. Rhedodd i fyny'r llechwedd. Rhedodd dan y coed. Neidiodd i'r ffos. Cododd dwylo caredig hi o'r dŵr a'i rhoi'n dynn yn erbyn ochr y ffos, a hanner isaf ei chorff yn y dŵr o hyd.

"Cadw dy ben i lawr," meddai. Tad y ferch fach oedd hwnnw.

Edrychodd y dyn ar wyneb hir, tlws y ferch – y llygaid tywyll, y bochau crynion a'r gwallt llaes, tonnog, du wedi'i rannu ar ganol ei phen a'i gasglu'n gynffon uwch ei gwar. Er mor dlws oedd hi, roedd yr ofn a'r dychryn a deimlai yn tasgu ohoni. "Well iti dynnu dy gôt goch rhag ofn i'w lliw hi dynnu sylw'r peilotiaid."

Tynnodd Miren y gôt goch a'i gwthio i waelod y ffos fudur a sefyll arni. Hon oedd ei chôt orau – y gôt a gawsai gan Nain a Taid Bilbo ar ei phen-blwydd yn ddeuddeg oed ym mis Ionawr.

Yn is i lawr y llethr, roedd wedi gweld coeden dal mewn cae. Roedd rhyw ugain o bobl a phlant yn swatio dan ei changhennau. Daliai'r awyrennau i droelli uwchben a'u peiriannau'n sgrechian weithiau, gan blymio tua'r ddaear wrth weld symudiad yn y wlad oddi tanynt. Gwelodd Miren

awyren yn union uwchben y goeden. Gwelodd ddau oedd yn
cysgodi yn colli arnynt eu hunain ac yn rhedeg oddi wrth fôn
y goeden allan i'r cae. Clywodd y gynnau a gwelodd y ddwy
gôt lonydd yn gorwedd ar y gwair. Trodd yr awyren fel cudyll
coch a dychwelyd yn isel, gan saethu at y dorf o dan y
canghennau a'i chwalu.

Ond roedd hi'n nos bellach, diolch byth, meddyliodd
Miren.

"Rhaid imi fynd i chwilio am Mam," meddai wrth y dyn a'r
ferch fach.

"Lle'r ei di?" holodd y tad.

"Mae hi'n gweithio mewn lle bwyta yn San Juan Plaza."

"Ei di ddim yn ôl i'r dref?"

"Mae'n rhaid imi. Lle arall fedra i ddechrau chwilio?"

"Dyma ti, cymer fy nghôt i." Tynnodd y tad ei gôt frethyn
a'i lapio am ysgwyddau Miren. "I lawr yn Gernika, yn y
farchnad roeddan ni'n dau. Rydan ni'n byw i fyny ar fferm yn
y bryniau yma uwchben pentref San Pedro. Rhaid i ni'n dau
frysio adref i weld a ydi gweddill y teulu'n iawn. Gobeithio y
cei di o hyd i dy fam – ond cymer ofal, ti'n clywed?"

Diolchodd Miren am y gôt a throdd i edrych i lawr ar
Gernika. Roedd tanau mewn adeiladau unigol yn ymledu i
losgi'r rhai agosaf atynt nes bod strydoedd o fflamau. Pam
nad oedd y frigâd dân yn eu diffodd nhw? Yna cofiodd am y
bomiau cyntaf a phibenni dŵr y dref yn cael eu chwalu nes
bod ffynhonnau'n tasgu i'r awyr o dyllau yn y strydoedd.

Un awyren ddaeth yn gyntaf. Tua hanner awr wedi tri y
pnawn. Roedd wedi bod yn fore braf, clir o wanwyn. Roedd
miloedd ar filoedd wedi dod yn gynnar i Gernika. Oherwydd

bod prinder bwyd yn Bilbo, prifddinas Gwlad y Basg, roedd lluoedd yn dod i farchnad Gernika i brynu cynnyrch y ffermwyr lleol. Clywai Miren frefu'r gwartheg a'r defaid yn y farchnad. Ar hyd y rheilffordd, ar hyd y ffyrdd, roedd llond trenau a bysys o bobl a phlant yn cyrraedd Gernika i gael bwyd am yr wythnos.

"Awyr las, adar cas," dyna roedd José, tad Miren, wedi'i glywed. Edrychodd ei thad ar y mynyddoedd clir y bore hwnnw ac ysgwyd ei ben yn ofidus. Doedd awyrennau Franco ddim yn hoffi niwl a chymylau isel mynyddoedd Gwlad y Basg. Doedd gan Gernika ddim gynnau mawrion nac awyrlu i'w hamddiffyn, ond roedd copaon y creigiau wedi cadw peilotiaid y gelyn draw hyd yn hyn.

"Byddwch yn wyliadwrus heddiw," meddai wrth Miren a'i brawd bach Anton. "Mae'r tywydd yma'n ffafrio'r awyrennau. Os clywch chi glychau'r eglwysi yn canu, cofiwch redeg am y lloches."

Rownd y gornel i eglwys San Juan yr oedd cartref y teulu. Fflat i fyny ar yr ail lawr. Y tu ôl i'r tai roedd to sinc wedi'i roi dros ffos wag a bagiau tywod a phridd ar ben y sinc. Ers pan oedd y Ffasgwyr wedi dechrau bomio trefi a phentrefi yma ac acw yng Ngwlad y Basg, roedd awdurdodau Gernika wedi bod yn paratoi llochesi garw fel hyn i geisio diogelu'r bobl pe bai awyrennau'n dod i ymosod ar y dref.

Ond roedd y gwanwyn yn codi gwên y bore hwnnw. Yn fuan ar ôl i Miren adael y gwasanaeth cynnar yn yr eglwys, roedd criw o lanciau wedi dechrau chwarae pilota ar y plaza. Fel arfer, doedd hynny ddim yn digwydd tan ddiwedd y pnawn, gyda'r dawnsio yn llenwi'r Plaza de la Unión o tua

chwech neu saith o'r gloch ymlaen. Heddiw, roedd ysbryd
hyderus wedi meddiannu llawer o'r rhai a ddaeth i'r farchnad.
Gwisgai'r bobl ifanc eu dillad gorau ac roedd y llanciau'n
edrych yn drawiadol yng nghapiau cochion traddodiadol y
Basgiaid. Marchnad lewyrchus, gêm dda o bilota, a bwyd a
dawnsio – roedd yn ddiwrnod i'w fwynhau.

Er hynny, roedd creithiau'r Rhyfel Cartref yn ddigon
amlwg yma ac acw. Cerddai nifer o filwyr y Basgiaid ar hyd y
strydoedd, gan ymgasglu ar ambell gornel. Roedd golwg
benisel a blinedig arnynt, meddyliodd Miren. Nid milwyr
proffesiynol oedd y rhain ond dynion ifanc ei gwlad oedd yn
barod i warchod y ffyrdd a'r bylchau rhag i filwyr Franco eu
goresgyn a dial arnyn nhw am gefnogi Llywodraeth y Bobl.
Roedd y milwyr hyn wedi gweld ymladd caled a cholledion
drud eisoes, wrth i awyrennau'r gelyn eu bomio a'u saethu yn
eu ffosydd a'u gorfodi i gilio am loches i'r dref.

Roedd rhai ffoaduriaid o Durango yno hefyd. Cafodd y
dref honno ei bomio gan y Ffasgwyr ar y diwrnod olaf o fis
Mawrth. Chwalwyd tai ac roedd teuluoedd truenus wedi
gorfod rhedeg i'r strydoedd gyda dim ond y dillad oedd
amdanynt. Aeth Miren i nôl bara i'w mam ar ôl dod o'r
eglwys. Fel arfer, ni fyddai llawer o waith disgwyl yn y siop
wrth fynd yno'n gynnar. Ond y bore hwnnw roedd 100 metr o
giw o flaen y siop fara. Gwelai Miren fod golwg nerfus iawn ar
y ffoaduriaid o Durango a'u bod yn siarad yn boenus gyda
thrigolion Gernika. Ofni bod y ffatrïoedd arfau a'r bont yn
mynd i dynnu awyrennau Franco i Gernika yr oedden nhw.

Mae'n hawdd iawn adnabod ffoaduriaid, meddyliodd
Miren. Maen nhw'n fudur ac yn flêr a'u dillad yn rhwygiadau

yn aml. Mae eu plant yn sefyll yn agos at fam neu dad ac yn cydio'n sownd mewn braich neu waelod côt. Anaml hefyd, sylwodd Miren, y byddai'r teulu'n gyfan – mam neu dad fyddai gyda'r plant, nid y ddau ohonyn nhw. A bydd rhyw olwg bell a thywyll yn eu llygaid. Beth oedd y llygaid hynny wedi'i weld, tybed? Roedd ei mam wedi'i siarsio i estyn help llaw i blant y ffoaduriaid bob amser. Nid eu bai nhw oedd hi eu bod nhw yn y cyflwr hwnnw yn y lle yma, meddai. Rhyfeloedd oedd yn creu ffoaduriaid ac yn aml iawn, meddai, y rhai oedd yn dechrau rhyfeloedd oedd y rhai olaf i helpu ffoaduriaid.

Canodd clychau San Juan fwy nag unwaith tra oedd Miren yn aros ei thro yn y siop fara. Y tro cyntaf iddyn nhw ganu, rhedodd Miren a nifer o'r lleill am y lloches. Wedi aros yno am ddeng munud, mentrodd un neu ddau i'r stryd.

"Dim golwg o awyren," meddent. Dychwelodd pawb i'r ciw bara.

Pan ganodd y clychau rybudd yr ail waith, ychydig iawn a redodd i'r lloches.

"Clychau awyr las," meddai gwraig gron yn y ciw. "Maen nhw bob amser yn nerfus pan mae'n dywydd braf!"

Gwelodd rhai o'r trigolion awyrennau tua'r dwyrain yn cylchu ac yn deifio. Ymosod ar y milwyr yn eu ffosydd, efallai? Nid oedden nhw'n poeni llawer ar drigolion Gernika.

Aeth Miren i helpu ei mam i wneud y gwlâu yn y llofftydd oedd yn cael eu gosod ar rent. Oherwydd amgylchiadau'r rhyfel, roedd yn cael aros adref i gynorthwyo ei mam y dyddiau hynny. Ganol y pnawn, roedd yn croesi'r plaza pan glywodd y band milwrol yn canu rhai o ganeuon traddodiadol

Gwlad y Basg. Erbyn hyn, roedd criwiau o filwyr yn canu rhai o'r penillion, yn tynnu coes ac yn chwerthin. Mae'n anodd torri ysbryd y Basgiaid, meddyliodd Miren. Taenwyd baneri trilliw Gwlad y Basg o ffenestri lloriau uchaf y tai ac roedd sloganau a phosteri yn addurno waliau'r strydoedd.

Gwnaeth nodau cyntaf y gân nesaf i'r dorf brysur ar y sgwâr sefyll, sgwario a chyd-ganu. Emyn 'Derwen Gernika' oedd hon ac roedd yn un o ganeuon gwladgarol y Basgiaid. Er mai Bilbo yw prifddinas y wlad, Gernika yw ei chanolfan ysbrydol. Yno y mae calon y genedl yn curo gryfaf. Edrychodd Miren o'i chwmpas wrth ganu'r penillion a gwenodd gyda balchder. Roedd pawb yn gwybod y geiriau. Wrth i'r cytgan atseinio dros y plaza, cododd rhai eu braich dde a'i phlygu gan gau dwrn wrth y glust. Hwn oedd yr arwydd i wrthwynebu'r Ffasgwyr. Gwenodd Miren wrth weld bachgen bach iau nag Anton ei brawd yn gwasgu'i ddwrn nes bod ei ewinedd yn wyn.

Mae coeden hynafol ar sgwâr Gernika. Dan gysgod y dderwen hon yr oedd senedd Gernika yn cyfarfod ers cannoedd o flynyddoedd. Daeth brenhinoedd o Madrid yno a thyngu llw o dan ei changhennau y bydden nhw'n cydnabod hawliau'r Basgiaid am byth. Ychydig dros gan mlynedd ynghynt, adeiladwyd tŷ cyfarfod i'r senedd wrth y goeden ac ychydig wedi hynny, plannwyd coeden newydd yn lle'r hen un. Roedd cenedl y Basgiaid yn mynd o nerth i nerth ac o dan Lywodraeth y Bobl yn 1936, roedd y Basgiaid wedi cael yr hawl i gynnal eu senedd eu hunain unwaith eto.

Cododd Miren ei phen yn uchel wrth ganu pennill o 'Derwen Gernika':

Pennod 2

Canodd clychau eglwys Santa Maria ar fymryn o godiad tir uwchlaw rhan brysuraf y dref.

Gwelodd Miren fod yr awyren yn ddychrynllyd o isel erbyn hyn.

Rhaid imi fynd yn ôl at Mam, meddyliodd.

Roedd amryw ar y sgwâr wedi sylwi ar yr awyren. Un weddol fychan oedd hi. Cylchodd, yna aeth i gyfeiriad yr orsaf reilffordd.

Clywodd pawb ar y sgwâr fom yn ffrwydro o gyfeiriad yr orsaf.

Distawodd y band, a dechreuodd y bobl redeg.

Cychwynnodd Miren am y brif stryd, Stryd San Juan, ond daliai dau filwr eu breichiau ar led o'i blaen.

"I'r lloches!" meddai'r milwr ar y chwith.

"Rhaid imi fynd at Mam!"

"Y lloches! Mae'n rhaid iti wrando arnon ni!" meddai'r milwr arall.

Trodd Miren a gweld bod y rhan fwyaf o dyrfa'r sgwâr yn rhedeg i gyfeiriad waliau o sachau tywod oedd yn gwarchod mynedfa i dwll yn y ddaear gyda shîtiau sinc a thrwch o bridd a glaswellt wedi'u taflu'n frysiog drostynt. Roedd yn llawn o bobl. Ceisiodd Miren wthio'i hun drwy'r adwy gul, ond clywai ferched a phlant yn sgrechian eu bod yn cael eu gwasgu'n erbyn y wal yn y pen arall.

Clywodd chwiban hir ac yna ffrwydriad ysgytwol. Roedd hwnnw eto wedi dod o'r un cyfeiriad – yr orsaf a'r bont.

Cylchodd yr awyren sawl gwaith gan ollwng bom ar ôl bom yn yr un rhan o'r dref.

"Dim ond un awyren sydd yna," meddai dyn wrth ymyl Miren.

"Awyren fechan ydi hon," meddai milwr. "Fel arfer, awyren ysbïo ydi hi. Anaml y bydd rhai fel hyn yn gollwng bomiau."

Y tro nesaf y daeth yr awyren ar ei chylchdaith, clywodd y llocheswyr sŵn gynnau peiriant a chleciadau'r bwledi'n adlamu oddi ar strydoedd a waliau.

"Roedd honna mor isel y tro yma nes 'mod i'n medru gweld y wên ar wyneb y peilot!" llefodd un o'r mamau oedd yn plygu'n gragen dros blentyn bach.

Does gen i ddim gobaith yma yn adwy'r lloches os daw hi dros y to acw'n isel a saethu atom ni, meddyliodd Miren.

Tra oedd yr awyren yn cylchu Gernika unwaith eto, rhoddodd Miren ei phen i lawr a rhedeg heibio'r milwr cyn iddo sylweddoli ei bod wedi mynd.

Rhedodd nerth ei thraed at adeilad carreg â waliau uchel, gan feddwl y byddai hwnnw'n ei chysgodi o leiaf. Clywodd yr awyren yn nesu eto a rhagor o sŵn bwledi'n clecian.

Rhedodd ymlaen ar draws sgwâr bychan a gwelodd eglwys Santa Maria o'i blaen. Cofiodd eiriau ei thad:

"Peidiwch byth â mynd i loches Santa Maria. Dydi honno ddim wedi cael ei gorffen a dydi hi ddim yn ddiogel."

Clywodd Miren glychau'r eglwys yn dal i ganu eu rhybudd uwch y rhan honno o Gernika. Gwelodd fod drws yr eglwys yn agored a rhedodd i mewn, gan feddwl y byddai adeilad mor fawr a chadarn yn siŵr o'i diogelu. Nid hi oedd yr unig un oedd wedi cael y syniad hwnnw. O dan lofft y côr, roedd môr o wynebau yn edrych arni. Roedd ofn a dychryn ym mhob llygad. Aeth Miren i sefyll yng nghysgod tŵr y gloch.

"Mae hi wedi mynd," meddai llais gorfoleddus ar ôl rhai munudau o dawelwch.

"Dim ond un awyren oedd yna wedi'r cyfan!"

Teimlodd Miren y tyndra'n llacio. Ychydig funudau'n ddiweddarach, dechreuodd rhai gerdded tuag at y drws. Roedd y dref i gyd yn dawel.

Aeth rhagor o funudau heibio. Dechreuodd y dyrfa aflonyddu. Gellid clywed sŵn traed ar y strydoedd y tu allan. Aeth un neu ddau allan o'r eglwys, ond edrych i fyny i'r awyr a wnâi pob un.

Pum munud arall ac roedd Miren hithau y tu allan i'r eglwys. Cerddodd ar draws y stryd a gweld adeilad y senedd o'i blaen. Clywodd sŵn. Sŵn rhuo isel, fel storm yn hel ar y gorwel. Roedd eraill o'i chwmpas yn ymwybodol o'r sŵn hefyd.

Brysiodd heibio'r senedd a sefyll dan dderwen Gernika. Roedd y sŵn yn uwch. Trodd ei phen ac edrych ar yr awyr rhwng y brigau. Er nad oedd Miren erioed wedi clywed y fath sŵn o'r blaen, gwyddai'n union beth ydoedd: *arŵm, arŵm, arŵm.*

Roedd wedi clywed am yr awyrennau mawr, trymion gyda thri pheiriant swnllyd yn eu gyrru. Gallai eu gweld tua'r dwyrain, yn hedfan yn araf a llwythog tua'r gogledd. Efallai mai mynd i fomio porthladd ar yr arfordir roedden nhw? Yna gallai eu gweld yn codi un aden, ac fel haid o adar y gaeaf yn cadw at yr un patrwm ehediad, roedden nhw'n awr yn dod yn ôl am ganol tref Gernika a sŵn eu peiriannau'n fyddarol. Gwasgodd Miren ei hun yn erbyn boncyff y goeden.

Daeth naw awyren dros y strydoedd, fesul tair awyren mewn grŵp siâp 'V'. Naw awyren lwyd, dywyll. Naw awyren hyll a pheryglus.

Clywodd Miren lwmp yn hel yn ei gwddw ac yn ei mygu. Ymladdodd am ei gwynt. Roedd ei mam rywle yng nghanol y dref yn llwybr yr angenfilod ffiaidd yma. Ceisiodd wasgu'i hun yn erbyn rhisgl y goeden a pheidio ag ildio i'r reddf i redeg yr holl ffordd i chwilio amdani.

Gwelodd fom yn disgyn . . . tri bom . . . un arall.

Clywodd y ffrwydriadau'n crensian ei hesgyrn a'i dannedd. Roedd pob clec yn brifo'i thalcen, yn gwneud iddi feddwl bod ei chlustiau am fyrstio yn ei phen. Diflannodd strydoedd canol y dref o'r golwg mewn cymylau o fwg a lludw.

Ar ôl y don gyntaf, daeth ail don o awyrennau. Cylchodd y naw gyntaf, gan ddod yn ôl i ollwng mwy o fomiau yr eildro. Yna, gallai Miren glywed haid arall o awyrennau'n nesu o'r de. Roedd yr awyr yn ddu gan awyrennau.

Rhwng y tonnau o ffrwydriadau, cymylau o fwg a rhuadau aflan peiriannau'r bomars, gwelodd Miren filwr yn rhedeg yng nghysgod adeiladau'r stryd. Roedd yn dod ar hyd ffordd pentrefi'r mynyddoedd ac yn anelu am ganol y dref. Gwelodd y goeden a rhedodd i'w chysgod at ochr Miren.

"Melltith ar y Junkers yma!" gwaeddodd yn ei chlust. "Rydw i wedi gweld y llanast mae'r rhain yn medru'i wneud yn y ffrynt. Bob tro mae yna ffrwydriad, rhaid iti roi rhywbeth yn dy geg a'i frathu rhwng dy ddannedd, neu mae peryg i dy glustiau di chwythu."

Ymbalfalodd Miren drwy bocedi ei chôt ond doedd ganddi ddim byd addas.

"Dyma ti," meddai'r milwr, gan dorri darn o gangen isel y goeden a'i dorri'n ei hanner gyda'i ddwylo wedyn. Rhoddodd un darn rhwng ei ddannedd ac estyn y llall i Miren.

Ydi, meddyliodd hithau, mae hwn yn arbed rhywfaint ar y boen.

"Maen nhw'n benderfynol o ddifetha'n tref hardd ni!" llefodd y milwr yng nghanol yr heldrin.

Clywodd Miren chwiban hir yn llawer nes ati nag o'r blaen. Teimlodd y ffrwydriad drwy'i chorff eto a gwelodd wal gyfan un o'r adeiladau yn disgyn i'r stryd.

"Rhaid iti fynd i fyny am y mynyddoedd," gwaeddodd y milwr. "Dwi newydd ddod o gyfeiriad San Paulo lle'r oeddan ni'n cael llety ar fferm. Dos i fyny'r ffordd yna. Cadw i'r caeau a'r coed. Paid ag aros yn dy unfan yn rhy hir. Chwilia am bant dwfn a chadw dy ben i lawr."

Sgrechiodd tair awyren gyflymach na'r lleill uwch eu pennau.

"Mae'r taniwrs wedi cyrraedd!" Pwyntiodd y milwr atynt. "Gynnau peiriant sydd gan y rhain. Maen nhw'n poeri bwledi. Mae fy angen i yn y dref. Dos dithau am y wlad, a chofia be ddwedais i."

Gwyliodd Miren y milwr ifanc yn sleifio i gysgod y senedd.

Ceisiodd ryddhau ei hun oddi wrth foncyff y goeden ond methai'n lân â gwneud hynny.

Yn sydyn, daeth un awyren fel barcud isel dros gribau'r adeiladau ar y chwith iddi a chwalu cawodydd o fwledi i lawr yr heol. Gwelodd y cawodydd yn cau am dri pherson oedd yn cysgodi wrth wal uchel a chlywodd eu sgrechfeydd.

Nid oedodd mwyach. Rhwygodd ei hun oddi wrth y goeden a rhedodd i fyny'r stryd am y wlad. Rhedodd a rhedodd.

Rhedodd heibio tryc amaethyddol ar ei ochr. Heibio merch yn ffenest llofft ei fflat ar y stryd a'r dagrau'n llifo i lawr ei hwyneb. Heibio dŵr yn pistyllio i'r stryd o dwll agored lle'r oedd bom wedi taro a chwalu pibenni dŵr y dref. Heibio hen ŵr yn cyrcydu mewn drws tŷ a llwch a phlastar yn drwch ar ei ddillad a'i gap. Heibio sgrechfeydd. Heibio gwaed. Heibio dau gorff wrth ochr y ffordd.

Gadawodd y dref y tu ôl iddi. Yna, rhuthrodd oddi ar y ffordd ac anelu am y caeau a'r coed y tu draw iddi. Gwelodd awyren arall yn sgrialu'i bwledi fel cenllysg i fyny'r llechwedd, gan gadw at lwybr y ffordd. Clywodd sgrech y ffoaduriaid yn uwch i fyny'r allt.

Wedi cyrraedd y coed cyntaf, gwelodd fod nifer o bobl eraill yn cuddio yno hefyd. Trodd yn ôl i edrych ar y dref yn y dyffryn. Roedd yr awyr yn ddu gan awyrennau'n troelli ac ymosod. Clywai ffrwydriad ar ôl ffrwydriad a dilynodd y colofnau mwg gyda'i llygaid.

Edrychodd ar y bobl o'i chwmpas. Roedd ôl gwaedu ar lawer ohonynt a'u dillad yn garpiau. Hongiai braich un ferch ifanc yn ddiffrwyth o'i hysgwydd ac roedd yn ei chario gyda'r llall. O'i chwmpas, clywai furmur o ochneidiau'r dioddef yn cau amdani.

"Tân!" llefodd un o'r hen ddynion. "Y bomiau tân ydi hi rŵan!"

Bomiau llai oedd y rhain, ond caent eu hau fel pys o foliau'r awyrennau, esboniodd.

"Maen nhw'n mynd yn syth drwy'r teils ar y toeau ac yn rhoi'r llofftydd ar dân!" meddai'r hen ŵr eto.

"Mi fydd y coed sydd yn friwsion ar lawr yn tanio hefyd," ychwanegodd un arall.

"Beth am y coed yma?" gofynnodd llais pryderus arall.

Rhedodd Miren o'r coed ac yn uwch i fyny'r llechwedd.

Roedd y bomio wedi para dros awr yn barod.

Rhedodd o goedwig i goedwig am hanner awr arall, gan ddringo'n uwch ac yn uwch a mynd ymhellach a phellach o Gernika. Gwelodd bant yn y tir o'i blaen. Gwelodd y ffos. Neidiodd.

* * *

Am dair awr, bu awyrennau Franco yn malu a lladd yn Gernika. Yna caeodd tywyllwch y nos am y dref a gadawyd i'r tanau wneud eu gwaith.

Yr unig beth oedd ar feddwl Miren oedd bod yn rhaid iddi gael hyd i'w mam. Cerddodd yn nes at weddillion y dref a theimlo gwres y goelcerth ar ei hwyneb. Os câi afael ar ei mam, bydd hi'n siŵr o fod yn gwybod lle mae Anton a'i thad, a fyddai wedi dod adref o'r ffatri erbyn hynny.

Roedd y strydoedd yn llawn llanast a gweddillion

adeiladau oedd wedi chwalu. Gwelodd dderwen Gernika – roedd honno'n dal i sefyll yn urddasol, ei changhennau'n agor i'w chroesawu.

Deuai pobl i'w chyfeiriad fesul dau a thri, pob un wedi'i glwyfo.

Gwelodd dad yn cario bachgen bach yn ei freichiau.

"Dal hwn. Dal hwn i mi am funud," plediodd ar ddyn arall.

"Pam? Lle ti'n mynd?"

"Rhaid i mi biciad i nôl rhywbeth o'r tŷ ..."

"Wyt ti wedi drysu? Mae'r stryd i gyd ar dân. Dy fywyd di a'r bachgen yma sy'n bwysig rŵan."

Ond roedd y tad wedi trosglwyddo'r bachgen i freichiau'r dieithryn ac wedi rhedeg drwy ddrws agored i dŷ oedd â fflamau wedi cydio yn ei do. Toc gwelodd Miren ei fod yn ffenest y llawr cyntaf. Taflodd fwndel mewn cynfas i'r stryd. Tywalltodd dillad ohono wrth iddo daro'r llawr. Yna roedd y dyn yn ei ôl yn rhedeg allan drwy'r drws gyda gramoffon dan ei fraich. Ei chip olaf arnyn nhw oedd y tad â chynfas dros un ysgwydd a gramoffon dan y fraich arall, yn gafael yn y bachgen bach.

Aeth Miren ymhellach i ganol y dref. Mewn ambell stryd gul, roedd y tanau wedi cydio'n rhy gryf iddi allu cerdded ar ei hyd. Roedd milwyr yn ceisio troi pobl yn ôl i'r wlad. Roedd criwiau eraill yn cario'r clwyfedig am un o'r ysbytai. Roedd cyrff wedi'u gadael ym mhobman.

Aeth tro drwy'i chalon wrth glywed galwadau o grombil ambell adeilad. Roedd pobl yn dal yn fyw, ond bod tunelli o lanast wedi'u carcharu.

Gwelodd ferch fach yn crio dros ei chi coll.

Clywodd ffrwydriadau ar hyd y dref o hyd wrth i fomiau nad oedd wedi tanio gael eu llyncu gan y fflamau.

Cyrhaeddodd y sgwâr agored. Nid oedd yn adnabod ei thref ei hun bellach. Nid oedd yn adnabod yr wynebau o'i chwmpas. Roedd braw a phoen wedi gweddnewid pawb.

"I'r caeau! I'r caeau!" gwaeddodd milwr ar y sgwâr. "Bydd yr adeiladau yma'n chwalu am ein pennau ni cyn bo hir."

Nid oedd gan Miren ddewis ond ufuddhau.

Cerddodd yn araf yn ôl am y cyrion.

Arhosodd wrth ffynnon fechan i olchi'r mwg o'i llygaid ac i yfed llymaid.

Edrychodd yn ôl tua'r strydoedd gwenfflam.

Yn gloff, yn ei chrys gwaith carpiog a gyda gwaed ar ei thalcen, gwelodd wraig yn hercian tuag ati. Ei mam oedd hi.

Pennod 3

Bore drannoeth, cafodd Miren a'i mam gornel ar sedd bren ar drên o Gernika i Bilbo. Roedd pob cerbyd yn orlawn, ac er bod sioc y bomio yn llygaid pob un o'r teithwyr o hyd, roedd y sgwrsio'n frwd a huawdl.

"Mae'n anodd credu bod y trên yn medru teithio heddiw," meddai'r gŵr byr, tew mewn crys gwyn, budr. Roedd Miren wedi'i adnabod fel y pobydd yn eu siop fara. "Ond mae'r rheilffordd yn hollol gyfan!"

"Edrychwch!" ebychodd gwraig oedrannus wrth i'r trên adael yr orsaf a phasio'r ffatrïoedd. "Does dim llanast yn yr ardal ddiwydiannol chwaith. Mi fyddai rhywun yn tybio y byddai Franco wedi targedu'r rhain."

"Ond mae canol y dref yn dal i losgi," sylwodd Carmen, mam Miren. "Roedd rhywun yn dweud wrthyf y bore yma y bydd hi'n llosgi am dridiau."

"Bron pob tŷ, pob siop, bob fflat wedi'i chael hi," meddai'r pobydd.

"Targedu pobl oedden nhw," meddai'r wraig oedrannus. "Eisiau torri ysbryd y bobl a digalonni'r milwyr maen nhw."

"Wnân nhw byth mo hynny!" ymunodd mam ifanc, oedd yn cario mab blwydd oed ar ei glin, yn y sgwrs. Er gwaetha'r cyfan oedd wedi digwydd, gwelodd Miren fod gwên lydan ar wyneb y bychan. Plygodd hithau ymlaen a'i gosi dan ei ên a sibrwd rhyw eiriau meddal wrtho. Dawnsiai ei lygaid yntau wrth gael sylw fel hyn.

"Be ydi'i enw o?" gofynnodd Miren i'r fam.

"Donato."

"Dyna ti, Donato! Ti wrth dy fodd yn cael dy gosi fel hyn, yn dwyt?"

"Tithau wrth dy fodd efo plant hefyd, mae'n amlwg," oedd sylw'r fam, gyda gwên fach ar ei hwyneb trist.

"Edrych!" meddai Miren gan dynnu darn o bapur a phensel o'i phoced. "Beth am inni dynnu llun efo'n gilydd, ia?" Gafaelodd Donato yn y bensel gan roi gwên swil ar Miren.

"Mae'r peth fel teithio drwy hunllef," meddai'r wraig oedrannus wrth wylio gweddillion y dref yn pellhau y tu ôl i lwybr y trên. "Pryd gawn ni weld Gernika eto, tybed?"

"Does dim lle i roi pen i lawr yno," meddai'r pobydd. "Yng ngorsaf y rheilffordd y cysgais i neithiwr."

"A ninnau," meddai Carmen. "Mi fûm i'n ddigon lwcus i gael y flanced hon gan un o'r milwyr. Does ganddon ni ddim dewis ond mynd i Bilbo. O leiaf, mae llywodraeth Gwlad y Basg yn fan'no ac mi wnân nhw edrych ar ein holau."

"Oes gennych chi le i aros?" holodd mam Donato.

"Mae fy rhieni'n dal i fyw yno, a Kattalin fy chwaer," atebodd Carmen. "Rydan ni'n gobeithio bod fy ngŵr ac Anton y mab wedi cyrraedd fan'no yn barod."

"Dydych chi ddim wedi'u gweld nhw ers ... ers ..." Roedd y geiriau'n rhy boenus hyd yn oed i'w hyngan gan yr hen wraig.

Ysgydwodd Carmen ei phen. Drwy ffenest y trên, cawsant gip ar y briffordd o Gernika i Bilbo. Syllodd y teithwyr ar ddodrefn ac eiddo wedi'u pentyrru ar wageni pren a sawl pâr o ychen yn eu tynnu. Roedd teuluoedd wedi casglu hynny oedd yn weddill o'u cartrefi ac yn ffoi am y brifddinas.

"Mae pawb ar chwâl," cwynodd y pobydd. "A does dim bara yn Bilbo y dyddiau hyn, chwaith. Wn i ddim sut y bydd hi arnom am fwyd. Mae llongau rhyfel Franco wedi creu blocâd ar y môr i rwystro llongau bwyd rhag cyrraedd Bilbo ers mis Mawrth."

"Dim ond ychydig o laeth ac wyau sydd ar ôl yno, glywais i," meddai'r hen wraig.

"Mae'n gwella'n ara' deg," meddai dyn yn y gornel. "Un o'r ddinas honno ydw i ond fy mod wedi cael fy nal yn Gernika ddoe. Wythnos yn ôl daeth Capten Roberts a'i long o Gymru i mewn i harbwr Bilbo. Mae dwy neu dair arall wedi llwyddo i herio blocâd Franco a chyrraedd y dociau wedi hynny."

"*Hooray marinel ausartak!*" Hwrê i'r morwyr dewr!" llefodd yr hen wraig mewn Basgeg.

"Mae Capten Wy a Ham a Chapten India-corn ar eu ffordd o Saint-Jean-de-Luz," meddai'r gŵr o Bilbo. "Aeth Capten Tatws yr holl ffordd i Alicante, ond mae yntau'n siŵr o alw heibio eto cyn bo hir. Cymry ydi'r rhain i gyd."

"Go dda, Llynges Cymru," meddai'r hen wraig.

"Sut bod cymaint o Gymry ar y moroedd hyn?" holodd Carmen.

"Mae cyswllt agos iawn rhwng Bilbo â Chymru," esboniodd y gŵr o Bilbo. "Mae'r rhan fwyaf o fwyn haearn Gwlad y Basg yn cael ei allforio drwy Bilbo ac mae llawer o hwnnw'n cael ei gario i weithfeydd dur Cymru. Ar y llaw arall, mae glo gorau'r byd ar gyfer y ffwrneisi haearn yn cael ei godi o ddaear Cymru. 'Dan ni'n rhoi haearn iddyn nhw ac yn derbyn glo yn ôl. Felly mae hi wedi bod erioed. Mae dipyn o weithwyr haearn a glowyr o Wlad y Basg wedi ymfudo i gymoedd diwydiannol Cymru, ac mae llawer o forwyr Cymru wedi aros a chodi teuluoedd yn Bilbo. Cymro ydi fy nhad, fel mae'n digwydd."

"Felly mae digon o fwyd yn Bilbo erbyn hyn?" gofynnodd mam Donato, gan chwarae gyda gwallt y mab ar ei glin.

"Mae'n well nag oedd hi – ond un pryd y dydd ydi hi o hyd. Wrth i fyddin Franco wasgu ar Wlad y Basg, mae mwy a mwy o bobl yn ffoi i'r brifddinas, ac felly mae mwy o foliau i'w llenwi."

"Ond mae byddin Gwlad y Basg wedi creu amddiffynfeydd concrid cadarn o amgylch Bilbo?" holodd Carmen.

"Do, ond rhaid cael bwyd. Rhaid cael arfau hefyd. Ac wrth gwrs, does ganddon ni fawr ddim i rwystro awyrennau Franco rhag ymosod arnon ni o'r awyr. Fe all mai Bilbo fydd y Gernika nesaf."

"Â'n gwaredo!" llefodd yr hen wraig. "Paid â dweud ein bod yn neidio o'r badell ffrio i'r tân!"

"Awyrennau Franco, wir," wfftiodd y pobydd. "Welais i un o'r bomiau tân yna heb ffrwydro. Eryr yr Almaen oedd y stamp arno. Awyrennau Hitler oedd llawer ohonyn nhw."

"Ac awyrennau Mussolini oedd y gweddill," meddai Carmen. "Ffasgwyr yr Almaen a Ffasgwyr yr Eidal yn rhoi help llaw i Ffasgwyr Sbaen. Dyna sut mae hi ar y ddaear yma – y gwledydd mawr sy'n creu rhyfeloedd mawr."

"Lle mae democratiaid y byd yma arni na wnân nhw roi cymorth i lywodraeth ddemocrataidd y bobl yma yng Ngwlad y Basg a Sbaen?" holodd mam Donato.

"Mae gwledydd fel Ffrainc, Prydain ac America yn gwrthod ymyrryd," atebodd y pobydd. "Maen nhw'n dweud mai rhyfel mewnol ydi hwn."

"Mi ddylai'r hyn ddigwyddodd ddoe yn Gernika fod yn fater o bwys i'r holl fyd!" mynnodd mam Donato.

"Gwir," cytunodd y pobydd. "Yn ein gwlad ni heddiw, yn eu gwledydd nhw fory – felly y bydd hi."

"Glywais i mai petrol o America sy'n gyrru'r awyrennau yna sy'n ein bomio ni," meddai'r gŵr o Bilbo. "Mae gan Franco ffrind bach yn byw yn Texas."

"A ffrindiau yn Llundain," ychwanegodd y pobydd. "Mae prif lynghesydd Llundain yn ei boced o."

"Mae Lloegr wedi gwerthu peiriannau awyrennau i Hitler," meddai'r dyn o Bilbo. "Synnwn i ddim mai peiriannau o Loegr oedd yn gyrru'r Junkers *arŵm, arŵm, arŵm* uwch Gernika ddoe."

"Dwi byth eisiau clywed y sŵn yna eto," meddai'r fam, gan roi ei dwylo dros glustiau Donato. "O, be ydi'r llun yna rwyt ti'n ei wneud gyda fy hogyn bach i?"

Cododd Miren ei phen yn sydyn. Edrychodd yn ôl ar y papur a'r gwaith pensel arno. Roedd hi wedi tynnu llun stryd yn Gernika, awyrennau yn yr awyr, bomiau'n disgyn ... Yn sydyn, gorchuddiodd y llun gyda'i dwylo.

"Mae ... mae'n ddrwg gen i," meddai'n ffwndrus. "Wnes i ddim meddwl, dim ond rhoi'r hyn oedd yn fy mhen i ar y papur. Doeddwn i ddim yn bwriadu dychryn Donato ..."

"Wnest ti ddim, siŵr," meddai'r pobydd. "Mae'n bwysig cofio. Mae'n bwysig rhannu'r lluniau."

"Gad i mi weld," meddai mam Donato'n fwy tyner, gan godi llaw Miren oddi ar y papur. 'O, ac rwyt ti wedi cynnwys derwen Gernika ynddo fo hefyd!"

"Un peth da," meddai Carmen, "mae coeden y Basgiaid yn dal i sefyll. Wel, roedd hi neithiwr, beth bynnag."

"Fe'i gwelais hi y bore yma, 'mechan i," meddai'r hen wraig. "Roeddwn i'n crwydro'n ôl i'r dref ar ôl cysgu dan y coed. Roedd yr haul yn codi y tu ôl iddi – roedd hi'n edrych yn wych!"

Wrth gyrraedd cyrion y brifddinas, gwelodd y teithwyr fwy a mwy o filwyr y Basgiaid yn cryfhau'r amddiffynfeydd.

"Un reiffl rhwng dau sydd ganddyn nhw, mae'n debyg," meddai'r gŵr o Bilbo.

Gyda hyn, cyrhaeddodd y trên brif orsaf Bilbo. Trên ffoaduriaid oedd hwn ac roedd hynny'n amlwg iawn pan ddaeth i ben ei daith – nid oedd y rhuthr a'r cythru arferol am fagiau a chesys yng ngherbydau hwn. Oni bai eu bod yn cario'u plant, roedd breichiau'r rhan fwyaf o'r teithwyr yn wag.

"Tyrd, Donato," meddai'i fam. "Dim ond y ti sydd gen i i'w gario."

"Lle wyt ti'n cael mynd rŵan, Donato?" Siaradai Miren gyda'r bychan, gan gyfeirio'r cwestiwn at ei fam.

"'Dan ninnau'n mynd at deulu hefyd," esboniodd y fam. "Mae gen i ewythr yn gweithio ar y dociau."

"Pob lwc i chi."

Dymunodd pawb yn dda i'w gilydd a chyn hir roedd Miren

a'i mam yn teithio ar dram i gartref y taid a'r nain.

"Ydi'r anaf ar dy dalcen yn brifo'r bore 'ma, Mam?"

"Na, mae'n reit gyffordus. Mi wnaeth y nyrs yna waith rhyfeddol arno fo neithiwr."

Ar ôl cyfarfod ei gilydd yng nghanol y tanau, roedd Miren wedi cynnal ysgwydd ei mam a'i helpu i gerdded dros y rwbel a'r llanast ar y strydoedd i'r ysbyty agosaf. Roedd golygfeydd o ddioddef erchyll yno, gyda'r doctoriaid a'r nyrsys a'r gwirfoddolwyr yn gweu drwy'i gilydd fel morgrug wrth geisio estyn cysur a rhoi'r gofal meddygol angenrheidiol i'r rhai oedd wedi'u hanafu waethaf yn gyntaf. Roedd hi wedi hanner nos ar nyrs ifanc, flinedig, yn cyrraedd at gadair Carmen, ond roedd hi'n benderfynol o ddal ati.

"Gadewch inni olchi'r briw ar y talcen yn gyntaf," meddai'r nyrs.

Daeth yn ôl gyda bowlen ac ychydig o ddŵr ynddi.

"Mae dŵr yn brin," esboniodd. "Rhaid inni wneud y gorau o'r diferion yma, mae arna i ofn. Roedd yr injan dân yn gorfod trio pwmpio dŵr ar y fflamau drwy ei godi o'r afon."

Golchwyd y gwaed sych oddi ar dalcen Carmen a gwelodd y nyrs fod y toriad dwfn angen ei bwytho. Rhoddodd bedwar pwyth ynddo a rhwymyn glân drosto.

"Cadwch hwnna'n lân. Rhowch eli briwiau arno a bydd rhaid tynnu'r pwythau mewn wythnos. Dewch imi weld y ffêr yna."

Roedd Carmen wedi troi'i ffêr yn ddrwg. Rhwymwyd honno i roi cryfhad i'r gewynnau.

"Gorffwys mae hon ei angen," meddai'r nyrs. "Mi wn ei bod hi'n ddigon hawdd i mi ddweud, ond eistedd yn llonydd am wythnos, codi hon ar glustog a gadael i'ch teulu redeg i chi fyddai orau."

"Does gen i ddim cartref, *laztana*, cariad bach," meddai Carmen. "A dwn i ddim lle mae fy ngŵr na fy mhlentyn ieuengaf."

Gwasgodd y nyrs ei braich mewn cydymdeimlad. Yna, roedd yn rhaid iddi symud ymlaen at anafiadau'r plentyn oedd yn y gadair agosaf ati.

Cynorthwyodd Miren ei mam i godi ar ei thraed ac yn araf, araf, aethant o gwmpas cyrion y dref i gyfeiriad yr orsaf reilffordd. Roedd y milwyr yn cynghori pawb i adael Gernika.

* * *

Doedd Taid a Nain Miren ddim yn gwybod hanes ei theulu, wrth gwrs. Nid oedd wedi bod yn bosib i Carmen gysylltu â nhw i ddweud beth oedd wedi digwydd a'u bod ar eu ffordd atynt. Roedd stori Gernika wedi cyrraedd o'u blaenau ac roedd dagrau o lawenydd wrth groesawu'r fam a'r ferch ar riniog eu drws. Dagrau o dristwch wedyn wrth glywed bod y teulu wedi'i wahanu gan y bomio a bod José ac Anton ar goll. Na, doedd yr un o'r ddau wedi bod yno nac wedi anfon gair atynt.

Roedd hi'n braf gweld wynebau cyfarwydd a theimlo eu gofal cariadus yn lapio amdanynt. Llwm iawn oedd cwpwrdd bwyd Taid a Nain, ond roeddent yn gwneud y gorau o'r gwaethaf. Dros y dyddiau nesaf roedd Carmen dan siars i eistedd a chodi'r goes glwyfedig a gorffwyso. Gwaith Miren a'i modryb Kattalin oedd mynd yn ôl ac ymlaen ar y trên o'u cartref yn Santurtzi i'r orsaf reilffordd yng nghanol Bilbo, rhag ofn bod Anton neu'i dad wedi cyrraedd ar drên diweddarach.

Un bore, clywodd Kattalin y newydd yr oedd hi'n ei ofni gan un o weithwyr y rheilffordd. Dychwelodd at Miren ar y platfform ac roedd hi'n amlwg i'r ferch fod rhywbeth yn pwyso'n drwm ar galon ei modryb.

"Be sydd, Kattalin?"

"Mae Gernika wedi disgyn i ddwylo'r gelyn. O, mae'n ddrwg calon gen i, Miren."

"Go brin bod fawr neb ar ôl yno bellach?"

"Mae bron y cwbwl o'r adeiladau wedi'u dinistrio, meddai'r dyn yna. Ac mae'r ffigyrau am nifer y marwolaethau'n erchyll ..."

"A beth am Dad ... ac Anton ...?"

"Dim gair."

"Ydi hynny'n newydd da?"

"Ydi, wrth gwrs ei fod o, Miren. Mae'n rhaid inni gredu, a dal i gredu."

"Lladdwyd llawer o filwyr Gwlad y Basg wrth geisio amddiffyn Gernika?"

"Do, mae arna i ofn."

Meddyliodd Miren am y dynion ifanc yn lifrai'r wlad oedd wedi estyn cymorth iddi hi a'i mam.

"Mae un peth arall y mae'n rhaid inni ei wneud, Miren. Dyna ddwedodd y gweithiwr yna."

"A beth ydi hwnnw?"

"Mae swyddfa rownd y gornel o'r fan hon. Maen nhw'n cofrestru pob marwolaeth fu yn Gernika yno ac mae ganddyn nhw luniau o wynebau'r meirwon. Mae'n rhaid i mi fynd yno i weld a ydw i'n medru adnabod rhai o'n teulu ni yn eu plith nhw."

Pennod 4

Cafodd Miren gwpanaid o siocled poeth gan ddyn clên yn y swyddfa. Cafodd sedd esmwyth i eistedd arni. Cafodd lyfr yn ei hiaith am hanes ei gwlad, i'w helpu i dreulio'r amser.

Ond roedd pob munud yn awr iddi.

Roedd Kattalin wedi cael ei thywys i astudio'r ffotograffau yn y stafell drws nesaf. Wrth gael cip sydyn pan agorodd y drws, gwelodd Miren fod cryn ddeg o bobl yn y stafell honno a sypiau o ffeiliau ar fyrddau. Roedd hi'n hollol, hollol dawel yno.

Byddai'n cymryd rhyw awr iddi, meddai'r dyn clên. Yn anffodus, meddai, dydi'r casgliad ddim yn derfynol. Cyrhaeddodd milwyr Franco a meddiannu Gernika dridiau ar ôl y bomio. Erbyn hyn, roedd y Ffasgwyr wedi dal y bobl oedd ar ôl, eu cadw'n garcharorion a'u gorfodi i glirio'r rwbel a chario'r cyrff o'r strydoedd a'r adfeilion. Byddai'n cymryd wythnosau eto i gasglu holl enwau'r rhai a laddwyd gan yr ymosodiad. Ond roedden nhw'n benderfynol o gael yr enwau i gyd, meddai'r dyn gydag angerdd.

O'r diwedd, agorodd y drws a daeth Kattalin drwyddo gyda'i phen yn isel. Roedd yn ysgwyd ei phen.

"Welsoch chi mo'u ffotograffau nhw?" holodd y swyddog.

Ysgydwodd Kattalin ei phen eto. Rhoddodd ei braich dros

ysgwydd Miren a cherddodd y ddwy allan i'r stryd. Ni ddwedwyd gair yr holl ffordd adref.

Yn hwyrach y diwrnod hwnnw, cyrhaeddodd Taid yn ôl o'r stryd gyda'r newydd fod llong ddewr arall wedi llwyddo i basio llongau gynnau Franco a'i bod wedi docio yn yr harbwr.

"Ddoi di hefo fi i weld beth sydd arni?" gofynnodd Taid wrth Miren.

Wrth gerdded at y foryd a'r porthladd yn y bae, roeddent yn pasio strydoedd o siopau bychain. Roedd y siopau bwyd i gyd yn hollol wag a chiw hir wrth un siop oedd â sacheidiau o datws yng nghanol y llawr.

"Mae mwy a mwy o bobl yn cyrraedd yma bob dydd," nododd Taid.

"Welais i'r ddinas yma erioed mor brysur, *Aitona*," meddai Miren wrth ei thaid.

Erbyn hyn roeddent yn gweu drwy'r tyrfaoedd ar y dociau. Roedd amryw o longau wrth y cei.

"Dacw hi'r un sydd newydd gyrraedd!" meddai Taid. "Weli di'r llongwyr yn brysur ar ei dec a'r docwyr yn gorffen clymu'r rhaffau? Dyna'r bont yn ei lle rŵan."

"Helô, Kastor!"

Roedd un o'r docwyr wedi galw Taid – neu *Aitona*, i Miren – wrth ei enw, wedi codi'i law ac yn cerdded draw atynt. Bu ysgwyd llaw a churo cefnau am dipyn.

"Dyma Jon," esboniodd Taid. Gwyddai Miren fod *Aitona* yn arfer gweithio yn y dociau cyn iddo ymddeol. "Roeddwn i yn yr un criw â hwn ers talwm – y fi'n gweithio'n galed a Jon yn gwneud dim byd!"

"Wel, mae yna raw sbâr yn y cwt iti, Kastor! Fe allwn ni

wneud efo pâr arall o ddwylo i wagio hon," meddai gan nodio at y llong.

"Be ydi'r cargo? Bwyd?" holodd Taid.

"Glo sydd ar hon. Nid llongau Franco yn unig ydi'r drwg erbyn hyn. Fe gawson nhw drafferth i ddod heibio llong ryfel o Loegr sydd allan yn y môr yna. Roedd honno'n ceisio perswadio'r capten i droi'n ôl a mynd i harbwr Saint-Jean-de-Luz, sydd ddim ond dros y ffin yn Ffrainc, ond cymeriad styfnig ar y naw ydi'r capten yma."

Erbyn hyn roedd tipyn o fynd a dod ar y bont bren oedd wedi'i chodi o ddec y llong i'r cei. Safai nifer o swyddogion yr harbwr wrth waelod y bont a chyn hir gwelodd Miren ŵr byr, llydan gyda barf drwchus yn dod ar hyd y bont.

"Dyma fo ar y gair," meddai Jon. "Capten Williams, ac edrychwch – mae ganddo dalp o lo yn ei law!"

Gwelodd Miren ddyn byr gyda chôt llongwr dywyll amdano yn camu ar y cei. Safai'n gefnsyth a sgwâr, ei wallt yn frith ac yn moeli, a'i farf yn gorwedd ar sgarff gul oedd ganddo am ei wddw. Gwthiai ei frest allan a chododd y llaw oedd yn dal y talp o lo. Roedd ganddo ddigon o Fasgeg i gynnal sgwrs gyda swyddogion Bilbo.

"Glo gorau Cymru, fechgyn! *Galeseko ikatzik onena!*" chwarddodd yn iach. "HMS Hood y Saeson – isie inni dowlu fe i'r môr! Na! Bilbo – mas o'r ffordd, mynte fi! Ha!"

Roedd sawl un yn chwerthin gydag ef ac yn rhoi llaw ar ei ysgwydd. Nid dyma'r tro cyntaf i'r capten hwn fod yn Bilbo, meddyliodd Miren.

Cynigiodd ei law i bob un o'r swyddogion. Ysgydwyd honno gydag angerdd, ond ar ben hynny plygodd pob swyddog ymlaen a rhoi cusan ar ei ddwy foch, yn ôl arferiad mynwesol y Basgiaid. Gwnaeth y Cymro yr un modd – ychydig yn betrus i ddechrau, ond yna gydag arddeliad. Wedi'r holl gusanu, roedd y capten bach wedi colli'i wynt braidd.

"Bechgyn Cymru – llawer wedi dod i Sbaen i ymladd yn erbyn Franco," meddai Capten Williams, gan actio ei fod yn dal reiffl. "Franco – Bang, bang! Ha! Yffach gols, os yw bois yn dod yma o'r pyllau go i ymladd gyda chi, y peth lleiaf y medrwn ni sydd ar y llongau ei wneud yw helpu hefyd. Glo i chi – chi'n gwneud haearn – haearn yn gwneud gynnau. Bang, bang – ta, ta Franco!"

Chwarddodd y swyddogion eto yng nghwmni'r capten oedd yn perfformio fel rhyw ddryw bach yn eu canol. Gwenodd Jon yntau ar Miren a'i thaid.

"*Itsaspekoa*, llong danfor?" oedd cwestiwn un o'r Basgiaid.

"Na, na – dim *itsapeko* ar y daith hon," atebodd y Cymro. Gwyddai pob un ohonynt fod llongau tanfor Almaenig yn cadw llygad ar Fae Biscay, a llongau tanfor yr Eidal yn suddo llongau oddi ar arfordir Môr y Canoldir.

"*Hegazkina?*" holodd un arall, gyda'i freichiau ar led i ddynwared awyrennau.

"*Bai, hegazkina* ... oedd, roedd yna awyren yn cadw llygad arnon ni." Gwnaeth y capten bach gylchoedd gyda'i fysedd a'i fodiau a'u dal o flaen ei lygaid. "Sbeio arnon ni, y cythrel . . . Dim saethu. *Tirorik ez*"

Roedd sawl llong – gan gynnwys ambell un o Gymru – wedi gorfod dioddef awyrennau Franco yn saethu at forwyr ar eu byrddau ac roedd rhai yn cael eu bomio, hyd yn oed. Collodd rhai morwyr eu bywydau eisoes.

"Glo – i'r cei ... heddiw?" holodd y capten, yn awyddus i ddechrau dadlwytho.

"*Bai!*" meddai un o'r swyddogion mewn Basgeg gan nodio'i ben a phwyntio at y craeniau ar y cei oedd eisoes yn dechrau troi eu breichiau hirion uwchben crombil y llong.

"*Begira!*" llefodd un arall. "Edrych ar hon'na!"

Pwyntiodd at awyren yn isel ar y gorwel tua'r dwyrain.

"*Bizkor!* Brysiwch!" gwaeddodod un arall wedyn, gan symud ei freichiau'n gyflym fel petai'n cario llwythi o'r llong i'r cei.

"*Bai, bizkor,*" cytunodd y Capten Williams. "Mas o 'ma, glou, fechgyn! *Ha! Burdina?*"

Pwyntiodd at y llong ac yna at y gorwel, gan ofyn ai llwyth o fwyn haearn fyddai ganddo i'w gario o Bilbo.

"*Ez! Na. Seme-alaba.*"

"*E? Seme-alaba?* Plantos?" Crychodd y capten ei dalcen, a dal ei law allan ar lefel ei wregys, i awgrymu plant.

"*Bai.* Ie. *Errefuxiatuak.* Ffoaduriaid y rhyfel."

"Ffoaduriaid y rhyfel!" chwibanodd y capten rhwng ei ddannedd.

* * *

Gwelodd Miren a'i thaid un o'r swyddogion yn pwyntio at yr awyren ar y gorwel eto, a dal ei ddwylo agored o'i flaen – eu cledrau at y llawr ac yn crynu.

"Perygl?" gofynnodd y capten. "*Arriskua?*"

"*Bai. Arrisku serioa.*"

"Peryglus iawn," cytunodd Capten Williams.

"Janaririk ez Bilbon ..."

"Dim bwyd yn Bilbo?" Chwibanodd y capten eto a siglo'i ben yn drist. "Mynd i ble?"

"A *Saint-Jean-de-Luz*," gan bwyntio tua'r dwyrain. *"Ehun kilometro."*

"Can cilometr i ffwrdd o Bilbo?" deallodd Capten Williams. Yna daliodd ei freichiau ar led gan bendroni oedd yna berygl oddi wrth awyrennau i'r cyfeiriad hwnnw, gan ofyn, *"Hegazkina?* Awyren?"

"Ez! Na! *Seme-alaba."*

Nodiodd y Cymro ei ben – ni fyddai Franco, hyd yn oed, yn ymosod ar long dramor a'i llond hi o blant. Trodd Capten Williams ar ei sawdl, ysgwyd llaw pob un o'r swyddogion, cusanu pob boch unwaith eto a phwyntio at y craeniau. Brasgamodd yn ôl i fyny'r bont bren simsan at fwrdd ei long.

"Mi fyddan nhw wrthi ddydd a nos yn dadlwytho hon," meddai Jon wrth daid Miren. "Well i mi fynd yn ôl at y criw. Wyt ti'n siŵr na fyddet ti'n hoffi ymuno yn y chwysfa, Kastor?"

"Dim diolch yn fawr, Jon! Pob lwc iti. Braf dy weld. Tyrd, Miren – awn ni'n ôl at y lleill gyda'r newydd yna."

Wrth gerdded ar hyd y cei heibio pen blaen y llong, sylwodd Miren ar ei henw. *St Winifred.*

* * *

"Mae miloedd ar filoedd wedi cerdded dros y mynyddoedd o Wlad y Basg i'r tir sydd dan reolaeth y Ffrancwyr yn barod," meddai Kattalin wedi i'r ddau gyrraedd y tŷ yn Santurtzi.

Roedd y teulu mewn cyfyng-gyngor.

"Efallai fod Anton bach wedi mynd yno eisoes," meddai Carmen. "Gobeithio bod rhywun yn edrych ar ei ôl."

"Dydi hi ddim yn amhosib bod José wedi dod o hyd iddo ac wedi mynd am Saint-Jean-de-Luz ar ôl iddo fethu â chael hyd i chi'ch dwy yn Gernika."

"Pwy a ŵyr, yntê?" ochneidiodd Carmen. "Mae peidio â gwybod dim yn fy mwyta i'n fyw."

"Y stori yn y dociau ydi bod gwersyll i ffoaduriaid o Wlad y Basg erbyn hyn y tu allan i Saint-Jean-de-Luz," eglurodd Taid. "Mae'r Basgiaid sy'n byw ar ochor Ffrainc y ffin yn siŵr o fod yn cario bwyd yno."

"Mae Saint-Jean-de-Luz yn dref brydferth iawn," meddai Nain.

"Ac o gyrraedd awyrennau Franco," ychwanegodd Kattalin.

"Rydych chi'n eithaf pendant y dylai Miren a minnau fynd ar y llong yma?" meddai Carmen.

"Nid ti, Carmen – mae'n rhaid i ti orffwyso'r ffêr yna. Rydw i'n fodlon mynd efo hi," cynigiodd Kattalin.

"Mae hynny'n golygu bod y ddwy ohonon ni'n gwahanu eto!" Ni allai Carmen amgyffred gwneud hynny.

"Dim ond am ychydig. Efallai y down ni o hyd i José ac Anton ... "

"Dydi Bilbo ddim yn lle diogel i blant," meddai Taid. "Mae'r awyrennau wedi dechrau bomio ambell darged yn barod. Mae'n byddin ni'n colli tir, dwi'n ofni."

"Ond wnaiff Bilbo ddim ildio. Ddim byth!" meddai Miren. "Dyma'n cadarnle ni."

"Mi wnaf gysylltu â swyddfa ffoaduriaid Gernika wrth orsaf reilffordd Bilbo bob dydd," meddai Kattalin. "Mi all Mam fynd draw yno i gasglu'r newydd a gadael negeseuon i minnau."

"Bydd hynny'n well nag aros yma'n llwgu heb wybod dim byd, Carmen bach," meddai Nain. "Ac mi fyddi'n gwybod bod Miren yn ddiogel."

Roedd Carmen yn anfodlon gollwng ei merch o'i gafael, ond dros y dyddiau nesaf roedd awyrennau Franco i'w gweld yn amlach yn yr awyr uwchben Bilbo.

Cyrhaeddodd Kastor yn ôl o'r cei gyda'r newydd fod y llong wedi'i gwagio a bod y gweithwyr i gyd wrthi'n golchi'r howld. Lapiodd Miren ychydig o ddillad benthyg yn fwndel bychan a gwisgodd hen gôt oedd yn nhŷ ei thaid a'i nain.

"Dyna ni, rydan ni'n barod," meddai Kattalin.

Daeth Kastor i'w hebrwng at y cei.

"Wyt tithau am fynd i Saint-Jean-de-Luz, Kastor?" holodd Jon y dociwr wrth eu gweld yn nesáu.

"Na, dwi'n rhy hen," meddai yntau. "Rhaid rhoi'r lle blaenaf i'r to ifanc yn awr."

Eisoes, roedd y St Winifred yn cael ei llwytho. Plant oedd y cargo yn bennaf, gyda rhai perthnasau hŷn i ofalu amdanynt. Roedd y breichiau yn yr awyr yn ffarwelio ar y cei, a'r dagrau'n llifo. Unwaith roedd y plant ar y bont i'r llong, nid oeddent yn troi i edrych yn ôl.

"Dewch! Dewch! *Hatoz!*" galwodd y capten ar ei bwrdd.

Derbyniodd Miren sws ar ei boch gan ei thaid a chamodd ar y bont.

Pennod 5

Gwelodd fôr o wynebau oddi tani yng nghrombil y llong. Doedd dim lle i neb eistedd – byddai hynny'n ormod i'w ddisgwyl.

"O! Maen nhw'n edrych fel sardîns i lawr fan'na," meddai Kattalin.

"Dim lle i lawer mwy," gwaeddodd Capten Williams i lawr at ei griw a'r swyddogion ar y cei, gan ailadrodd y geiriau mewn Basgeg.

"Ydan ni am wasgu i lawr yn fan'na?" gofynnodd Miren.

Ar hynny daeth un o'r llongwyr atynt. Roedd yn siarad Basgeg. Joseba o Bilbo oedd o, meddai.

"Dewch i fyny at y caban llywio. *Igo!*"

Arweiniodd Joseba'r ddwy i fyny'r grisiau i gaban uchaf y llong. Drwy'r ffenestri ar bob ochr roedd golygfa drawiadol o'r llong gyfan, y dociau a draw at y gorwelion. Roedd pob math o glociau a liferau ar y bwrdd blaen a chlamp o lyw crwn wrth y drws cefn.

"Mewn â chi, a pheidiwch â chyffwrdd dim," meddai Joseba, ac yna trodd i weiddi'n Gymraeg at un o'r morwyr eraill oedd ar y dec:

"Hei, Wmffra – anfon mwy i fyny i'r caban yma, wnei di? Mi ddalith rhyw ddeg arall. Diolch iti, was!"

Pa iaith oedd honno, meddyliodd Miren wrth glywed nifer

o eiriau dieithr. Roedd y llongwyr yn siarad darnau o bob iaith yr un pryd. Ambell air Basgeg, ambell air Sbaeneg ac ambell air roedd hi'n ei adnabod fel Saesneg. Ond roedd mwy iddi na hynny, roedd hi'n siŵr.

"Pa iaith ydi *'Diolch iti, was'*," gofynnodd Miren i Joseba, gan geisio dynwared y sain wrth i ddau deulu arall ddod i fyny'r grisiau,

"*Galesera*," atebodd Joseba. "Cymraeg ydi hynny, ac mae hi'n un o ieithoedd y llong yma. Ti'n ei ynganu fel hyn: *'Diolch iti, was!'*"

Esboniodd Joseba ystyr y geiriau a gwenodd Miren gan roi cynnig arall ar yr ynganiad.

"Diolch iti, was!"

"Da iawn ti," canmolodd Joseba. "Rwyt ti'n swnio fel petaet ti'n chwaer i Wmffra acw!"

Edrychodd Miren i lawr ar y llongwr pryd tywyll ar y dec.

Bellach roedd hi'n dipyn o wasgfa yng nghaban y capten. Gwelodd Miren fod teuluoedd a llawer o blant yn dal i ddringo'r bont ond eu bod bellach yn gorfod sefyll ar y dec.

"Fyddan nhw allan fan'na drwy gydol y daith?" gofynnodd Miren i'w modryb.

"Mae'n edrych yn debyg y byddan nhw," atebodd hithau.

"Faint o amser gymer hi inni?"

"Rhyw chwe awr yn y llong yma, dyna roedd Taid yn ei feddwl."

O'r diwedd, gwelodd Miren y capten yn codi'i ddwylo i'r awyr ac yn gwneud ystumiau cau'r giât ar y gweithwyr ar y cei.

"Mae'n edrych yn debyg na fydd rhagor yn dod arni," meddai Kattalin.

"Fory! *Bihar!*" gwaeddodd Capten Williams. "'Nôl fory!"

Gwyliodd Miren y criw a'r docwyr yn paratoi i ryddhau'r llong oddi wrth y cei. Rhuodd y peiriannau a gwelai'r mwg du'n codi o gorn mawr y *St Winifred*. Ymhen hir a hwyr, dyma Capten Williams ac Wmffra'n dringo'r grisiau i'r caban llywio.

"Dydd da ichi i gyd! *Egun ona!*" gwaeddodd y capten gyda gwên lydan. "Oes rhywun wedi gweld y map?"

Bloeddiodd gyfarwyddiadau at rai o'r criw ar y dec a gollyngwyd y rhaffau olaf. Cydiodd y capten yn y llyw a thynnu'r llong oddi wrth wal y cei. Pan oedd ganddo ddigon o ddŵr clir o'i gwmpas, dechreuodd droi trwyn y llong am y bwlch yn waliau'r harbwr.

"Rho neges i'r taniwr, Wmffra – ry'n ni'n barod am fwy o stêm nawr!"

"Iawn, Capten," a chlywodd Miren Wmffra yn gweiddi geiriau dieithr i lawr peipen. Closiodd hithau ato i gael golwg well ar yr offer.

"Mwy o dân 'to, Wmffra!"

Cyn hir roedd y bwlch i'r bae yn agor o'u blaenau. Edrychai'r gorwel yn llwyd ac yn oer ac roedd ewyn gwyn ar frig y tonnau.

"Bae Biscay," meddai Wmffra, gan wenu ar Miren.

"*Bei,*" atebodd hithau, "*Bizkaiko golkoa.*"

Tynnodd Wmffra far o siocled o boced ei gôt a thorri lwmp ohono a'i roi i Miren a sleifio darn arall i'w geg.

"Diolch iti, was!" meddai Miren, gan chwerthin wrth glywed y geiriau'n rhyfedd ar ei thafod.

"Ti'n siarad Cymraeg!" rhyfeddodd Wmffra, a pharablu bymtheg y dwsin efo hi yn yr iaith honno.

"Na. Dim *Galesera*," meddai hithau gan godi'i hysgwyddau.

Allan yn y bae, roedd y tonnau'n chwyddo a'r llong yn rowlio.

"Wo-ho!" llefodd y capten gan droi'r llyw i dorri drwy gefnen y don o'u blaenau.

"Glaw!" gwaeddodd Wmffra uwch sŵn rhuo'r peiriannau a phwyntio at gymylau trymion tua'r dwyrain oedd eisoes yn croesi'r dŵr o gyfeiriad Bermeo. *"Euria!* Rydan ni'n mynd i ganol y gawod yna."

Ysgubai'r glaw yn erbyn ffenestri'r caban a doedd dim modd gweld llawer pellach na thrwyn y llong erbyn hyn. Druan o'r teithwyr ar y dec, meddyliodd Miren.

"Sut ar y ddaear mae'r capten yn gweld lle mae o'n mynd?" gofynnodd i'w modryb.

"Edrych ar y sgriniau yma mae o." Pwyntiodd Kattalin at ffenestri gwydr gyda dotiau a chylchoedd golau ynddyn nhw.

"Ydi o'n gweld llongau allan yn fan'na?"

"Francoren itsasontzia?" gofynnodd Kattalin i Wmffra.

"Na," atebodd yntau. "Dim llongau Ffranco ar y môr. *Itsasoa* – môr yn dda i ni. O!"

Ar hynny cododd mynydd o don a thorri dros drwyn y llong. Mordaith ddigon arw fu honno i'r *St Winifred* a doedd fawr o gysur i'r teithwyr arni. Wedi oriau o siglo a rowlio, a'r môr yn ymddangos fel petai'n ddiddiwedd, gwelodd Miren oleuadau gwelw drwy'r glaw a'r cymylau isel.

"Saint-Jean-de-Luz! O'r diwedd," meddai Wmffra.

"Diolch iti, was!" gwenodd Miren.

Roedd heddlu ar y cei pan ddociodd y llong yn yr harbwr.

"Plismyn Ffrainc. *Frantzako Polizia*," esboniodd Wmffra.

Roedd cymaint o ffoaduriaid yn croesi dros fynyddoedd a thros y môr fel bod yr awdurdodau yn Ffrainc wedi colli amynedd ac wedi ceisio cael eu trefn ar bethau.

Wrth ffarwelio a diolch eto i Wmffra a'r capten, gwelodd Miren a Kattalin eu bod yn cael eu harwain gan yr heddlu ar hyd llwybr rhwng ffensys uchel heibio stordai a gweithdai. Edrychodd o'i chwmpas ar y cerddwyr. Gwelodd fod amryw yn glwyfedig a diolchodd nad oedd ei mam gloff gyda nhw.

Cyn hir, daeth strydoedd mwy dymunol y dref i'r golwg drwy'r glaw mân. Siopau, a'u ffenestri'n olau ac i'w gweld yn cario stoc dda; tai urddasol, braf. Ambell barc, ambell neuadd. Sylwodd Miren eu bod yn cael eu harwain gyda chyrion y dref. Roedd gan rai o'r plismyn Ffrengig gŵn a theimlai eu bod yn cael eu hel yn eu blaenau braidd yn filain. Yn sicr, nid oedd yna gynhesrwydd yn y croeso.

Pan oedden nhw'n troi tua'r chwith ar draws tir gwyllt ac ychydig o binwydd isel gyda'u canghennau fel wyau Pasg ar eu pennau, gofynnodd Miren i'w modryb i ble'r oedden nhw'n mynd.

"Dwn i ddim, *laztana*, fy nghariad gwyn i. Tua'r gwersyll, am wn i. Does ganddon ni fawr o ddewis. Dim o gwbwl, a dweud y gwir."

Collwyd golau'r dref erbyn hyn ond gallai Miren weld golau bychan rhwng y coed o'u blaenau. Pan ddaethant yn nes, gwelsant mai rhyw fath o gegin fwyd symudol oedd yno ac roedd y cannoedd yn awr mewn ciw arall am eu swper.

"O! Bwyd, Kattalin! Mi fydd hwnnw'n werth ei gael, yn bydd?"

Cawl bresych tenau a darn o fara caled oedd y swper. Ar ôl llyncu hwnnw, roedd yr heddlu yn eu hel yn eu blaenau eto. Toc daethant at giât mewn ffens uchel. Roedd milwyr gyda gynnau o boptu iddi. Clywodd Miren law ar ei chefn yn ei gwthio yn ei blaen drwy'r giât. Clywodd ryw swyddog yn gweiddi rhywbeth yn Ffrangeg.

"Lle rydan ni rŵan, Kattalin?"

"Rydan ni i aros yma dros nos, ac wedyn mi fyddan ni'n cael dewis y cam nesaf yn y bore, meddai hwn'na."

"Lle 'dan ni i fod i aros?"

"Yma. Yr ochor yma i'r ffens a pheidio ceisio dianc."

"Ond does dim byd yma!"

Cerddodd y ddwy ychydig i'r dde a gweld bod y ffens yn rhedeg at gornel ac yna yn troi'n sgwâr. Cerddodd y ddwy tua'r chwith a chyn hir gallent glywed tonnau'r môr.

"Maen nhw wedi'n cau ni mewn rhyw 'chydig aceri o dir gwyllt rhwng y coed a'r môr," meddai Kattalin.

"Lle 'dan ni i fod i gysgu?"

Sylwodd y ddwy fod teuluoedd yn ceisio creu rhywfaint o gysgod i'w plant drwy osod canghennau a swatio oddi tanynt.

"Tyrd, Miren. Awn ni'n nes at y môr – mi fydd hi'n fwy tywodlyd yn fan'no. Bydd hi'n haws inni greu rhyw nyth fach."

Wrth i'r tir garw droi'n dwyni tywod, roedd ambell silff o dywarchen a thywod rhydd oddi tani. Daeth y ddwy o hyd i bastwn pren bob un yn nes i'r traeth ac yna dychwelyd i'r twyni i geibio tywod rhydd o dan dywarchen gysgodol. Yno, ym mreichiau'i gilydd y treuliodd y ddwy y noson honno.

Rywbryd yng nghanol y nos, clywodd Miren rhywun yn

tyllu i'r tywyn ychydig droedfeddi oddi wrthi. Roedd babi yn crio. Swniai fel petai ar lawr ychydig pellach draw.

"Kattalin!" sibrydodd.

"Mae popeth yn iawn," sibrydodd ei modryb yn ôl wrthi. "Maen nhw yn yr un twll â ni!"

"Ydyn," atebodd Miren, gan wenu yn y tywyllwch. "Ac mae croeso iddyn nhw rannu'r twll lle yma efo ni hefyd! Faint o'r nos sydd ar ôl?"

"Wn i ddim. Wyt ti wedi llwyddo i gysgu rywfaint."

"Na, dwi ddim yn meddwl. Mae clywed pobl yn dal i gyrraedd, yn dal i gerdded o gwmpas, yn fy ngwneud i'n nerfus."

Cydiodd Kattalin yn dynnach amdani.

"'Dan ni'n iawn fan hyn, yn siŵr i ti. Mi fydd pethau'n well pan ddaw'r bore."

Cyn hir, roedd y tyrchwr drws nesaf wedi bodloni ar ei lety, ac ymdawelodd y bychan wrth i'r ddau ohonynt wasgu i gyrff ei gilydd yn y tywod.

Drwy fwlch yn y twyni, gallai Miren weld y môr. Gwelai oleuadau allan yn y bae. Llong arall ar ei ffordd i'r harbwr, meddyliodd. Llwyth arall o blant a theuluoedd a gofidiau. Caeodd ei llygaid a cheisiodd freuddwydio am gaffi ei mam, lliain bwrdd glân a bwyd blasus ar blât.

Pan ddaeth golau bach y wawr, roedd cysgodion yn codi o'r tywod o'i chwmpas ym mhobman. Roedd plant bach yn swnian, babanod yn torri'u calonnau a phobl mewn poen yn griddfan wrth geisio symud braich anafus neu goes friwedig.

"Fyddai'n well inni fynd at y giât i weld be ydi'r dewis a be ydi'r cam nesa," sibrydodd Kattalin wrthi.

"A gweld be sydd i frecwast?" gobeithiodd Miren.

Wrth godi ac ysgwyd y tywod oddi ar eu cotiau, edrychodd Miren ar y ddau oedd wedi dod i rannu'r dywarchen honno gyda hwy yn ystod y nos. Roedd y fam â'i llygaid ynghau a rhychau dwfn ar ei thalcen fel petai'n canolbwyntio ar ymlacio, ond yn methu'n lân â gwneud hynny. Gwelodd Miren fod llygaid y plentyn yn llydan agored, serch hynny, ac yn edrych arni dros y fraich oedd yn gafael amdano. Llygaid yn dawnsio oedd ganddo. Yn y golau cynnar, byddai'n taeru fod y bychan yn hanner gwenu arni ac yn awyddus i chwarae rhyw gêm. Fedrai hi ddim peidio â chymryd cam yn nes ato ac ymestyn ei hwyneb yn agosach at y llygaid deniadol hynny. A dyna pryd y gwnaeth ei adnabod.

"Donato!" llefodd yn rhy uchel o lawer. "Ti sydd yna!"

Agorodd y fam ei llygaid ar unwaith a thynhau'i gafael am y bachgen a'i dynnu'n dynnach at ei mynwes. Sylweddolodd Miren ei chamgymeriad.

"Mae popeth yn iawn," sibrydodd. "Miren sydd yma. Ydach chi'n fy nghofio i ar y trên? Wedi gwirioni o weld Donato eto'r ydw i."

Yn ara' deg, sylweddolodd y fam lle'r oedd hi a nodiodd a rhoi hanner gwên i Miren. Ymestynnodd ei chorff, edrych ar yr awyr a dechreuodd hithau godi. Sylwodd Miren nad oedd ganddi becyn.

"Mae Kattalin a finnau'n mynd i chwilio am fwyd a gweld be fydd yn digwydd inni," meddai wrth y fam. "Ydach chi am ddod efo ni? Mi wna i gario Donato, os leciwch chi."

Oedodd y fam, ond wedi cysidro pethau, gwenodd wên gynhesach a nodio. Estynnodd y bachgen iddi.

Gafaelodd Miren amdano a chosi'i ên unwaith eto.

"Wyt ti'n fy nghofio i, Donato? Rwyt ti wrth dy fodd yn cael dy gosi, yn dwyt? Tyrd rŵan, was – ti wedi bod yn chwarae yn y tywod yma'n ddigon hir. Awn ni i chwilio am frecwast, ia?"

Roedd torf fawr wrth y giât a'r ffens uchel eisoes.

Cododd lleisiau blin o'r rhesi o flaen y pedwar ohonynt. Gwelodd Miren un o'r milwyr Ffrengig yn cael ei wthio nes ei fod yn bownsio'n ôl oddi ar weiars y ffens.

Rhoddodd un o'r swyddogion chwythiad hir ar ei chwiban ar ôl hynny a gorchymyn i'r dyrfa gamu'n ôl.

"Gynnau'n barod!" gwaeddodd ar y milwyr yr ochr arall i'r ffens. Gostyngodd y rheiny eu reiffls fel eu bod yn pwyntio at y dyrfa. Tawelodd pethau wedyn. Roedd llawer iawn o blant yn y rhesi.

"Dyma sut mae hi i fod," eglurodd y swyddog, gyda milwr o boptu iddo. "Bydd y wagen fwyd yn cyrraedd mewn awr ac fe gewch eich bwydo tu mewn i'r ffens. Wedyn bydd angen i bob un ohonoch ddangos papurau adnabod. Os oes gennych deuluoedd Basgaidd yr ochr yma i'r ffin, cewch fynd atynt. Y dewis arall ydi cael eich cario mewn lorïau i Perpignan ac yna cewch groesi'r ffin yn ôl i Sbaen – y Sbaen sy'n rhydd o afael Franco. Gallwch geisio fynd eich hunain i Barcelona a gweld beth fydd yn digwydd."

"Barcelona?" llefodd Kattalin. "Mae fan'no gannoedd ar gannoedd o filltiroedd o Wlad y Basg. Chawn ni byth mo hyd i dy dad ac Anton yn fan'no!"

Pennod 6

Yn wahanol i'r hyn roedden nhw'n ei ofni, cafodd Kattalin a Miren aros yng ngharchar y twyni tywod am dair noson. Yn gyntaf, bu'n rhaid iddynt ffarwelio â Donato bach a'i fam drwy gawod o ddagrau y bore hwnnw – roedd ganddi gefnder yn gweithio mewn ffatri yn Biarritz yn uwch i fyny'r arfordir Ffrengig ac roeddent am gael aros yno nes y byddai pethau'n setlo. Cyn gadael, cawsant glywed eu stori drist. Roedd Donato wedi colli'i dad a'i frawd pedair oed pan laniodd bom ar eu cartref yn Gernika.

Wrth giwio o flaen bwrdd y swyddogion, clywsant un stori drist ar ôl y llall. Er mor arw oedd y carchar yn y tywod, roedd dagrau'r gwahanu yr un mor boenus yno wrth i deuluoedd orfod dewis rhwng diogelwch eu plant neu gadw gyda'i gilydd. Erbyn hyn roedd llawer o'r Basgiaid lleol o'r taleithiau Ffrengig y tu allan i'r ffens uchel yn cynnig gwarchod a maethu'r plant tra bod yr ymladd yn parhau. Âi'r plant i gartrefi dieithr – ond croesawus – ac âi'r rhiant ar lorri yn ôl at ffin Sbaen ddau gant a hanner o gilometrau i ffwrdd, fel y medrent groesi yn ôl i ran o'r wlad honno nad oedd Franco'n ymosod arni.

Llwyddodd Kattalin i argyhoeddi'r swyddogion y byddai'n haws datrys eu problemau os caent aros yn y gwersyll hwnnw nes y byddent wedi canfod aelodau coll eu teulu, ond ei bod hi'n hanfodol hefyd iddyn nhw ffonio swyddfa yn Bilbo bob dydd. Doedd y swyddogion ddim yn rhy hoff o'r drafferth o fynd â Kattalin at ffôn yr orsaf yn Saint-Jean-de-Luz bob bore, ond cael gwared ar y dorf anferth o ffoaduriaid oedd eu nod ac roedd hynny'n gam i'r cyfeiriad iawn, mae'n debyg.

Roedd y dorf yn enfawr. Fel y gwagiai'r gwersyll dros dro bob bore, byddai miloedd rhagor yn cyrraedd bob pnawn.

"Wyddwn i ddim fod yna gymaint ohonon ni'r Basgiaid!" rhyfeddodd Miren.

Treuliodd y ddwy yr amser yn cerdded a cherdded o gwmpas y gwersyll. O dro i dro, deuent ar draws rhywun yr oeddent yn ei adnabod o Bilbo neu Gernika, ond na – nid oedd neb wedi gweld yr un aelod o'u teulu. Roedd pob un dan gwmwl ei golledion ei hun.

"Mae pob teulu wedi colli rhywun a phawb wedi colli'i gartref," meddai Miren. "Dydi hi ddim ond i'w ddisgwyl y byddwn ninnau'n gorfod galaru."

"Miren fach, paid â thorri dy galon," crefai'i modryb. "Mae gobaith tra bo bywyd."

Ar y trydydd dydd – tra oedd Kattalin yn ffonio – gwelodd Miren wyneb cyfarwydd arall yn dod i mewn drwy'r giât weiren bigog.

"Sebastian!" llefodd.

Gwenodd yntau wrth ei hadnabod. Bachgen bach o Gernika oedd o, ac yn ffrind ysgol i Anton. Roedd y ddau yn yr un dosbarth. Wedi cofleidio a chael ei stori'n frysiog, gwelodd ei fod yno ei hun a'i fod wedi colli ei ddau riant a'i chwaer fach. Ond roedd ganddo deulu ochr Ffrainc i'r ffin. Mentrodd ofyn iddo a oedd yn gwybod rhywbeth o hanes Anton.

"Roedden ni'n dau gyda'n gilydd pan ddechreuodd y bomiau ddisgyn," meddai Sebastian. "Roedden ni wedi bod o gwmpas y farchnad yn edrych ar yr anifeiliaid wrth iddyn nhw gael eu gwerthu yn y bore ac wedyn roedden ni'n gwylio gêm o pilato pan ddaeth yr awyren gyntaf honno. Roedd Eneko, un o'r chwaraewyr, wedi gafael yn Anton a finnau ac wedi dweud wrthym am redeg nerth carnau efo nhw. Mi redon ni'n syth allan o'r dref ar hyd ffordd Bermeo. Mi fuon ni'n cuddio yn y coed, ac wedyn pan oedd y certiau'n dod o'r dref yn ystod y nos, mi wnaeth Eneko ein rhoi ar un o'r llwythi a dweud wrthon ni am fynd i Bermeo a chwilio am long i fynd â ni i Ffrainc. Roedden ni'n gweld tân Gernika yn goch yn yr awyr ddeng milltir i ffwrdd.

"Mi fuon ni yn Bermeo am ddwy noson, yn cysgu ar y strydoedd. Doedd dim bwyd yn y siopau ac roeddan ni'n chwilio drwy'r biniau ac yn yfed dŵr o'r afon. Mi ddaeth plismon o hyd inni'n gorwedd yn nrws siop ar y bore olaf ac aeth o â ni adref at ei wraig inni folchi – mi fuon nhw'n garedig iawn. Ond roedd yr awyrennau yno bob dydd hefyd ac mi fu'n rhaid i mi ffoi i'r ddinas. Heddiw mi gefais i ddod ar y llong yma o Bilbo."

"Ac Anton? Lle mae Anton?"

"Mae Anton yn Bermeo o hyd, am wn i. Aeth yn sâl ar ôl cysgu ar y strydoedd. Taflu i fyny. Gwres mawr. Doedd o ddim yn ffit i deithio i Bilbo, meddai Santos y plismon. Bydd yn rhaid iddo wella'n gyntaf."

Roedd Miren yn ei dagrau wrth glywed bod ei brawd yn fyw. Wrth ei bod yn ceisio dygymod â hynny, daeth Kattalin yn ôl drwy'r giât uchel yn llawn cyffro.

"Miren! Miren! Rydw i wedi cael neges o Bilbo. Mae dy dad wedi cyrraedd ein tŷ ni!"

Yn fyrlymus ac yn llawen, adroddodd Kattalin y stori fel yr oedd wedi'i chael dros y ffôn o'r swyddfa. Roedd José, tad Miren, wedi bod yn chwilio am ei deulu ar hyd y strydoedd tanllyd yn Gernika drwy'r nos ar ôl y bomio. Parhaodd i wneud hynny drannoeth, gan helpu i ryddhau rhai oedd wedi'u dal yn gaeth dan y rwbel. Aeth o un lloches i'r llall, yn gwneud ei orau. Roedd yn dal yno ymhen tridiau pan gyrhaeddodd milwyr Franco. Cafodd ei ddal yn garcharor. Roedd yn lwcus, medden nhw – cafodd rhai eu saethu'n syth ar gyhuddiad o fod yn elyn i Franco. Roedd y carcharorion yn cael eu gorfodi i glirio rwbel a chario cyrff o'r llanast. Weithiau dim ond darnau o gyrff oedd ar ôl. Ar ôl dau ddiwrnod o wneud hynny, llwyddodd José i ffoi drwy redeg drwy adfeilion tŷ oedd yn dal ar dân. Rhedodd i'r mynyddoedd, ac yn y diwedd llwyddodd i gyrraedd Bilbo.

"Mae José eisiau'r teulu'n ôl at ei gilydd," esboniodd Kattalin ar ôl clywed hanes Anton. "Rhaid inni ddal y llong yn ôl i Bilbo heno. Does dim diben i ni aros yma. Falle y gallwn ni gael gafael ar Anton yn Bermeo hefyd."

Llwyddodd Kattalin i berswadio'r swyddogion Ffrengig i ganiatáu i'r ddwy ohonynt fynd yn ôl i harbwr Saint-Jean-de-Luz i helpu llwytho bwyd ar long fyddai'n mynd â nhw yn ôl i Bilbo.

"Yn ôl i Bilbo? Dydych chi'r Basgiaid ddim yn gall," meddai un o'r Ffrancwyr, gan wneud siâp banana ben i lawr â'i geg, a chodi'i ysgwyddau a'i freichiau i'r awyr.

Y *Marie Llywelyn* oedd enw'r llong, ac enw'r Basgiaid ar y capten oedd 'Capten Tatws' am ei fod yn enwog am herio llongau rhyfel Franco gyda'i lwyth o datws ychydig wythnosau ynghynt. Roedd yn ddyn mewn tipyn o oed ac roedd ganddo fwstásh trwchus, gwyn, ond roedd gwreichionen o dân yn ei lygaid wrth iddo godi sachau o lysiau ar y cei gyda'i ddwylo mawr.

"Rhaid dal y llanw am bedwar o'r gloch!" gwaeddodd. "Brysiwch, brysiwch! Cymaint o sachau ag y gallwch chi!"

Roedd degau o longwyr, ffoaduriaid a Basgiaid lleol yn cario hynny fedren nhw o sachau bwyd ar y llong. Nid oedd Saint-Jean yn borthladd mawr iawn ac nid oedd wedi arfer â'r fath brysurdeb, ond roedd pawb oedd yno wrthi â'u deg ewin.

Ychydig cyn pedwar yn y pnawn, roedd Capten Tatws yn gollwng y rhaffau a'r *Marie Llywelyn* yn gadael ochr y cei. Ar y dec yr oedd Kattalin a Miren y tro hwn. Stemar dipyn llai oedd hon ac roedd hi'n edrych yn oedrannus hefyd. Ond roedd Capten Tatws mewn hwyliau da.

"Byddwn yn aros yn nyfroedd Ffrainc ac allan ym Mae Biscay nes y bydd hi'n nosi ac yna'n mynd yn syth i mewn am harbwr Bilbo," meddai, cyn cychwyn ar y fordaith. "Dydi peilotiaid Franco ddim yn hoffi'r tywyllwch, felly chawn ni ddim ein poeni ganddyn nhw yn y nos."

Aeth pethau'n dda ac yn ôl y cynllun, tan chwech o'r gloch, pan welodd Miren long ryfel fawr yn nesu atynt. Sylwodd mai baner Prydain oedd ar gynffon y llong. Darllenodd ei henw ar ei hochr: *HMS Hood*.

"Captain of the Mary Looellin, this is *Her Majesty's Ship Hood* addressing you!"

Clywodd Miren lais ar uchelseinydd yn dod atynt dros y tonnau. Gwelodd fod Capten Tatws wedi dod allan o'i gaban ac yn dal corn siarad yn ei freichiau cyhyrog a blewog.

"Turn back immediately. Do not enter Spanish waters. Return to France until further notice. His Majesty the King and his government will not be involved in this civil war."

"His Majesty the King has not seen the state of the Basque people," atebodd Capten Tatws. "This is Captain Jones of the Welsh Navy and I'm heading for Bilbo with a relief cargo of food."

"This is an order. I repeat, an order. Turn back."

"Twll dy din di, bachan. If you try to stop us, we'll ram you!" oedd ateb Capten Tatws.

Parhaodd y tyndra rhwng y corgi bach Cymreig a'r tarw mawr Seisnig am rai munudau. Yna gwelodd Miren fod *HMS Hood* yn symud draw a gadael llwybr clir i'r *Marie Llywelyn*. Roedd Capten Tatws wedi'i gwneud hi eto.

Am hanner awr wedi deg y noson honno, camodd Miren oddi ar bont bren y llong a glanio ar y cei yn Bilbo. Safai un o'r morwyr Cymreig wrth droed y bont yn helpu'r teithwyr i gamu'n ddiogel yn y tywyllwch.

"Diolch iti, was!" meddai Miren gyda direidi yn ei llygad.

"Yffach! Ma' croten fach Gwmrâg man hyn!" gwaeddodd y morwr mewn syndod. "Beth yw dy enw di, *laztana*, cariad bach?"

"Miren," atebodd hithau, gan ddyfalu beth oedd ei gwestiwn.

"Pob lwc iti yn Bilbo, Miren. Cofia dy fod ti'n edrych ar ôl dy hunan!"

* * *

Er mor flinedig oedd Miren a Kattalin wedi tair noson yn y twyni tywod a'r daith yn ôl i Bilbo, nid aeth neb i'w wely'n gynnar yng nghartref Taid a Nain yn Santurtzi y noson honno. Eisteddai Miren ar lin ei thad gan fethu â gollwng ei gafael ynddo wrth iddo adrodd ei hanes.

"Fedra i byth siarad am rai o'r pethau welais i," meddai'i thad. "Ond yr hyn sy'n bwysig rŵan ydi fy mod i'n rhydd a bod y tri ohonon ni'n ôl gyda'n gilydd. Mi fyddaf yn mynd am Bermeo ben bore fory. Mi af i chwilio am dŷ Santos."

Roedd y newyddion oedd gan Miren am Anton wedi codi calonnau pawb. Wrth droi am eu gwlâu yn y diwedd, roedd pob un yn mentro gobeithio y byddent yn un teulu eto'n fuan.

Pennod 7

Tair awr ar ôl gadael am Bermeo drannoeth, roedd José yn ôl yng nghartref Taid a Nain yn Santurtzi.

"Dim gobaith," meddai wrth fwrdd y gegin a'i ben rhwng ei ddwylo. "Mi es cyn belled â'r orsaf reilffordd yn Bilbo a dyna'r cyfan. Mae Bermeo wedi disgyn i ddwylo milwyr o'r Eidal sy'n ymladd dros Franco ers dros wythnos, ac mae'r ffyrdd i Bilbo i gyd wedi'u tagu wrth i'r ffoaduriaid ddianc. Roedd seirenau yr awyrennau'n sgrechian wrth yr orsaf bob rhyw chwarter awr ond roedd gormod o bobl yno i neb fedru meddwl am loches. Mae'r awyrennau'n bomio'r ffosydd amddiffyn y tu allan i Bilbo ac yn saethu'r milwyr yn bennaf ar hyn o bryd, ond mae pawb yn ofni mai strydoedd a thai Bilbo a'r porthladd yma fydd yn ei chael hi nesaf."

"Ac Anton bach?" mentrodd Carmen ofyn.

"Dim golwg ohono, dim gair amdano," meddai José. "Roedd miloedd o deuluoedd yn gweu drwy'i gilydd o gwmpas yr orsaf. Mae'n debyg bod y ffordd o Bermeo yn llawn o bobl yn ffoi hefyd. Dwi am gerdded i'r cyfeiriad hwnnw'r pnawn yma."

"Mae siawns go dda bod y plismon hwnnw yn edrych ar ei ôl yn iawn," meddai Nain.

"Mae rhai o'r straeon yn erchyll eto, mae arna i ofn," aeth José yn ei flaen. "Mae milwyr Franco yn saethu pawb maen nhw'n meddwl sy'n elynion iddyn nhw ac mae plismyn Basgaidd yn uchel ar y rhestr honno."

Am ddeg o'r gloch y bore hwnnw, gwrandawodd y teulu ar y newyddion ar y radio. Roedd y radio wedi dod yn rhan bwysig o batrwm y dydd iddynt erbyn hyn, er mwyn ceisio casglu hynny o newyddion ag yr oedd yn bosib am yr hyn oedd yn digwydd yng Ngwlad y Basg, Sbaen a de Ffrainc.

Y newydd mawr y bore hwnnw oedd bod arlywydd Gwlad y Basg yn cyflwyno neges i holl rieni a theuluoedd ei wlad:

"Mae'n argyfwng arnom mewn sawl maes ar hyn o bryd. Mae'r milwyr yn ymladd yn ddewr a di-ildio, ond maen nhw'n ddiamddiffyn yn erbyn awyrennau'r gelyn, ac nid oes gennym yr offer i wrthsefyll niferoedd a grym eu byddin ar y tir. Mae'n argyfwng bywyd, er bod pob teulu'n aberthu ac yn ymdrechu i'r eithaf.

"Daeth yr amser inni achub ein plant. Nhw yw ein dyfodol, nhw yw cannwyll ein llygad a nhw yw'r rheswm dros bopeth yr ydym yn gweithio amdano ac aberthu drosto! Gall y colledion a'r dioddefaint erchyll a brofwyd yn Durango, Gernika a Bermeo, a nifer o drefi eraill gael eu hailadrodd yn y brifddinas, Bilbo. Mae'n plant mewn perygl difrifol.

"Ni allwn ddisgwyl dim trugaredd gan y gelyn hwn ac ni allwn ninnau fwrw i'r frwydr fawr yn ei erbyn a ninnau'n dal i boeni am fywyd ein plant. Rhaid sicrhau bod y plant yn goroesi.

"Rwy'n gofyn i bob rhiant wneud penderfyniadau anodd ac annheg. Ond daeth yr amser i ofyn hyn, mae arna

i ofn. Rhaid penderfynu bod plant yn cael eu diogelu rhag y perygl o gael eu bomio neu o gael eu newynu. Bydd teuluoedd yn cael eu rhannu, brodyr a chwiorydd yn gwahanu hyd yn oed, ond amser i feddwl am eu diogelwch yw hwn.

"Ymhen pum niwrnod, ar fore Sadwrn 22 Mai, bydd llong fawr yr Habana *yn hwylio o'r porthladd yn Bilbo am Loegr. Mae gwirfoddolwyr mewn sawl ardal o Brydain wedi bod yn casglu dillad, rhoddion ac arian, ac mae Cronfa Achub y Basgiaid wedi'i sefydlu. Mae caredigion wedi trefnu bod cartrefi dros dro ar gael i 4,000 o blant o Wlad y Basg. Byddant yn cael llety clyd, bwyd ac ymgeledd a phob gofal nes bydd yr argyfwng hwn heibio. Mae llywodraeth Prydain wedi penderfynu y byddant yn rhoi caniatâd i'r llong gyrraedd Prydain a glanio yn Southampton, lle bydd y gofal yn cael ei drefnu ar gyfer pob plentyn.*

"Eisoes mae miloedd o blant amddifad yn cael eu llochesu mewn adeiladau anaddas yn ardal dociau ein prifddinas. All hyn ddim parhau. Rhaid cael gwell trefniant. Does dim dewis ond bod y miloedd hyn yn byrddio'r Habana *a gadael am wlad fwy diogel. Rydym yn gobeithio y gallant i gyd ddychwelyd yma ymhen tri mis.*

"Y mae llywodraeth Gwlad y Basg yn gwahodd pob rhiant yn Bilbo heddiw i ystyried dyfodol eu plant o ddifri. Os ydych yn dewis bod rhai o blant eich teulu chi angen gwell bwyd, amddiffynfa ddiogelach a dyfodol sicrach, ewch i'w cofrestru heddiw yn eich swyddfa heddlu leol.

"Bydd pob un fydd yn byrddio'r Habana *yn cael byw drwy'r argyfwng hwn. Beth bynnag fydd yn digwydd i ni, o*

leiaf bydd ein plant yn ddiogel. Ystyriwch yn ddwys, a
gweithredwch heddiw."

Diffoddodd Taid y radio ar ôl i'r arlywydd orffen ei anerchiad. Wedi sbel hir o ddistawrwydd, cododd José ei ben o'i ddwylo a safodd ar ei draed.

"Does ganddon ni ddim dewis, Carmen. Rwy'n mynd at yr heddlu rŵan i roi enw Miren ar restr yr *Habana*. Wedyn dwi'n mynd i gerdded ar hyd y ffordd am Bermeo i chwilio am Anton."

"José," meddai Carmen.

"Ie?"

"Rho enw Anton ar restr yr heddlu hefyd. Rwy'n siŵr y doi di o hyd iddo."

Ddaeth José ddim yn ôl y diwrnod hwnnw. Ni chlywodd y teulu siw na miw ganddo ar hyd y pedwar diwrnod cyn bod yr *Habana* yn hwylio. Y diwrnod cyn y fordaith, cyrhaeddodd cyfarwyddiadau'r heddlu i'r cartref yn Santurtzi. Roedd Miren i'w hanfon i orsaf drên y porthladd y pnawn hwnnw. Roedd eisoes wedi cael archwiliad meddygol ac roedd ei mam wedi llenwi'r dogfennau angenrheidiol. Roedd hi'n dal i gofio'r llinell hir o blant yn yr awyr agored yn disgwyl eu tro i'r doctor eu harchwilio, a phob un ohonynt yn wylo'n hidl.

Erbyn hyn, roedd ei theulu wedi'i pherswadio mai antur fawr oedd y cyfan iddi, "rhyw wyliau bach" dros dro. Roedd trên yn disgwyl yn yr orsaf a bar wedi'i osod ar draws yr adwy i wahardd teuluoedd rhag mynd ar y platfform. Dim ond hi a'i mam oedd yn ffarwelio â'i gilydd yno. Yn sydyn, teimlodd Miren yn wag ac yn unig a gafaelodd yn dynn am wddw'i mam.

"Mae'n rhaid iti ollwng gafael, Miren fach. Mae'n rhaid iti fynd rŵan. Ond mi welwn ni chdi yn fuan."

Gollyngodd Miren ei mam a throi am y trên gyda'i phecyn bychan oedd a'i henw a'i rhif arno. Roedd ganddi hithau bapur ar ei chôt gyda'i henw a'i rhif. Roedd chwe chant o blant ar y tro yn cael eu llwytho ar y trên a'u cludo at y llong. Ar hyd y bont reilffordd y tu allan i'r orsaf roedd y teuluoedd yn chwifio'u cadachau ac yn galw eu henwau ac yn gweiddi geiriau o gariad. Cafodd Miren y cip olaf ar wynebau llaith ei thaid a'i nain a Kattalin.

Ar fwrdd yr *Habana*, roedd hi'n draed moch. Er ei bod yn llong fawr, doedd hi ddim ond wedi'i bwriadu i gario wyth gant o deithwyr. Cyn nos, roedd pedair mil o blant a nifer o ofalwyr arni. Doedd dim lle i symud. Ar doriad gwawr drannoeth, hwyliodd y llong allan o'r harbwr. Cafodd y plant fara gwyn i frecwast – dyna'r tro cyntaf i lawer ohonynt flasu bara ers wythnosau. Gan eu bod ar eu cythlwng, llyncodd nifer ohonynt gymaint o fara nes bod eu boliau wedi chwyddo. Yn fuan iawn, roedd y môr yn ysgwyd y llong a llawer o'r plant yn dioddef gan salwch môr.

Rhwng y salwch a'r hiraeth, doedd yr antur ddim wedi dechrau'n addawol ond pan gyrhaeddodd y llong Southampton fore Sul, roedd tyrfa wedi ymgasglu ar y cei er mwyn eu croesawu. Roedd band yn canu alawon hwyliog yno a phawb yn dymuno'n dda iddynt. Teimlai Miren yn well yn barod.

Doedd yr archwiliad meddygol a'r pigiadau a gawsant ar ôl glanio ddim yn ddymunol iawn, er hynny. Roedd rhai plant yn gorfod cael eu gwalltiau i gyd wedi'u torri a chael bath poeth, drewllyd am fod ganddynt lau pen. Yna, roedd bysys a thacsis yn mynd â nhw i wersyll milwrol y tu allan i'r dref.

Dyma ni, meddyliodd Miren, carchar weiren bigog arall.

Ond o leiaf roedd pebyll gwyn, taclus yn y gwersyll hwn – dros bum cant ohonynt, yn ogystal â rhai mwy ar gyfer coginio bwyd, bod yn ysbyty i'r plant oedd angen gofal, a phebyll storio nwyddau. Roedd dŵr a thoiledau a llefydd ymolchi yno.

O'r dechrau, roedd gwaith i'w wneud. Roedd y bechgyn yn agor ffosydd rhag ofn i law a llifogydd greu difrod i'r gwersyll. Roedd y merched yn llenwi matresi â gwellt ar gyfer y gwlâu. Cafwyd etholiad ym mhob pabell gyda'r gwersyllwyr yn ethol arweinydd, a Miren a benodwyd yn arweinydd ei phabell hi. Byddai gwobr, meddent, i'r babell daclusaf, a'r arweinwyr oedd i drefnu ac ennyn brwdfrydedd ar gyfer y dasg honno.

Roedd rhan helaeth o bob dydd yn cael ei threulio'n ciwio: ciw molchi, ciw bwyd, ciw diod cynnes, ciw rhannu'r dillad anrheg. Roedd digon o fwyd a hwnnw'n dda. Ond roedd y tywydd yn wlyb a'r glaw'n llifo i rai o'r pebyll.

Clywai'r plant am drefn y dydd dros yr uchelseinydd. Caent eu deffro i sŵn band milwrol ac yna clywent eu hamserlen ar gyfer yr oriau nesaf. Roedd gwersi Saesneg i bawb yn eu tro, a hefyd ymarfer corff a chwaraeon. Caent fwy o wybodaeth hefyd am gam nesaf eu hantur. Ymhen rhyw wythnos, byddai criwiau o rhyw hanner cant i gant ar y tro yn gadael y gwersyll am gartref mwy sefydlog mewn rhan arall o Brydain.

Un diwrnod, clywodd Miren fod ei phabell hi a phedair pabell arall yn gadael y diwrnod canlynol am dref lan y môr yng ngogledd Cymru.

"Gogledd Cymru? *Ipar Gales?*" gofynnodd Miren i un o'r gofalwyr oedd gyda'i grŵp hi ac yn helpu'r plant i ddysgu Saesneg ac yn cyfieithu ar eu cyfer.

"Ie," atebodd yr ofalwraig. "Lle braf rhwng y môr a'r mynyddoedd."

Gadawodd Miren y cyfarfod gyda'r teimlad bod ei bywyd ar fin newid yn gyfangwbl.

Yna, newidiodd popeth unwaith eto.

Yno, mewn ciw diod poeth, gwelodd Anton.

Rhan 3

Rhydyclafdy, Llŷn
Haf 1937

Pennod 1

Roedd hi'n wyliau haf yn Llŷn. Ar gae chwarae Rhydyclafdy roedd dosbarth ysgol Sul un o eglwysi Salford, ger Manceinion, wedi codi pebyll gwyn ac yn gwersylla yno am bythefnos. Clywai Megan gorn yn cael ei chwythu am wyth o'r gloch bob bore ac yna byddai'r gwersyll yn dechrau ar orchwylion y dydd.

Roedd nifer o athrawon ysgol Sul a rhai rhieni yno'n edrych ar ôl y plant, ond y plant oedd yn ysgwyddo'r rhan fwyaf o gyfrifoldebau'r gwersyll. Y nhw oedd yn cario dŵr, golchi a chlirio'r llestri, gweini'r bwyd a thacluso'r pebyll. Sylwai Megan fod gwahanol sgwadiau – bechgyn a merched yn gymysg – yn ymgymryd â gwahanol dasgau bob dydd. Wedi gorffen y rheiny, byddent yn cael chwarter awr o ganu ac wedyn chwaraeon. Hamddena neu ddarllen am hanner awr cyn cinio, ac yna yn y pnawn tro ar hyd llwybrau'r ardal – i Gors Geirch i weld y pyllau mawn a'r planhigion prin, neu i gopa Garn Fadrun, neu i'r traeth yn Llanbedrog. Fel arfer, byddent yn cario picnic gyda nhw, gan ddod yn ôl i'r gwersyll erbyn swper ac yna chwarae gemau eto cyn noswylio.

Roedd y tywydd yn hynod o braf y mis Gorffennaf hwnnw ac roedd Megan yn sylwi bod y plant yn mwynhau eu hunain yn arw. Gan fod ganddi hithau well gafael ar Saesneg bellach, wedi blwyddyn gyfan yn yr ysgol sentral, roedd wedi cael sgwrs gydag ambell un ohonyn nhw. Gymaint brafiach oedd cael treulio amser yn Rhydyclafdy, meddai Gillian – un o'r gwersyllwyr – wrthi un gyda'r nos, yn hytrach na bywyd yn y ddinas. Doedd Megan erioed wedi meddwl am Rydyclafdy a Llŷn fel llefydd braf cyn hynny.

Yn ystod wythnos gyntaf Awst, cyrhaeddodd llythyr gan Wmffra. Roedd y tywydd yn ne Ffrainc a Sbaen wedi cynhesu'n arw erbyn hyn, meddai, ac roedd o'n ei chlywed hi'n boeth, yn arbennig gan fod y *St Winifred* bellach wedi symud o arfordir gogledd Gwlad y Basg i arfordir dwyrain Sbaen a Catalwnia.

"Trist iawn yw gorfod rhannu'r newydd fod dinas Bilbo wedi disgyn i ddwylo Franco a'r Ffasgwyr ar 19 Mehefin. Roeddem ni newydd adael y porthladd ar y pryd, yn cario'r llwyth olaf o ffoaduriaid o'r ddinas i dde Ffrainc. Roedd ubain wylo truenus ar y llong ar hyd y daith ac nid oedd modd cysuro'r plant na'r mamau. Mae hi'n ddiwedd byd ar Wlad y Basg, medden nhw. Bydd Franco'n dial yn ddychrynllyd arnyn nhw am iddynt feiddio herio ei awdurdod. Eisoes, mae hanesion ffiaidd am garcharu a lladd wrth y miloedd.

Cawsom ni ein symud wedi hynny i Fôr y Canoldir. Mae'n amhosib inni hwylio i borthladdoedd Gwlad y Basg bellach, a

mater o amser oedd hi i weddill y wlad ddisgyn i grafangau
Franco. O hyn allan, Barcelona yw prif ddinas Llywodraeth y
Bobl a hwylio'n ôl ac ymlaen o Rwsia ac o dde Ffrainc i'r fan
honno'r ydym ni.

Mae docwyr Barcelona yn filain wrth Lundain am eu polisi
'Peidio ag Ymyrryd'. Sut fedran nhw sefyll o'r neilltu a gadael i
Franco ddifetha trefi a lladd cymaint? Ar y llaw arall, rydw i
wedi cyfarfod rhai o'r dynion ifanc o Gymru sydd wedi teithio i
Barcelona ar eu liwt eu hunain i ymladd wrth ochr gwerin
Sbaen; bechgyn dewr iawn, yn credu'n gryf yn eu hachos.

Rwyf wedi cael hanes plant yr Habana gan un ohonynt –
Arthur Griffiths o Gasnewydd. Dywedodd fod cartref i lochesu
plant y Basgiaid wrth ei gartref a bod pobl yr ardal yn casglu
dillad, teganau a chodi arian i gynnal y cartref. Soniodd fod
cartrefi eraill yn ne Cymru ac un arall yn y gogledd – Hen
Golwyn, meddai o. Mae'n siŵr bod angen dipyn o arian arnyn
nhw i gynnal y lle a gofalu am fwyd i'r ffoaduriaid.

Mi anghofiais sôn yn fy llythyr diwethaf imi glywed un o'r
ffoaduriaid yma'n siarad Cymraeg efo fi! Cario llwyth o Bilbo i
Saint-Jean-de-Luz roedden ni, ac yn hollol annisgwyl dyma'r
eneth ifanc yma – tua'r un oed â ti, Megan, ydi hi, dwi'n siŵr –
yn troi ata i a dweud yn annwyl iawn, 'Diolch iti, was!' Bu bron i
mi syrthio i'r môr!"

Aeth Wmffra ymlaen i sôn am rai o'r pysgod roedd yn eu
cael i'w fwyta ym Môr y Canoldir – rhai gwahanol iawn i
unrhyw beth oedd yn cael ei ddal yn Llŷn, mae'n amlwg!

"Mae'n dda clywed fod ei hwyliau gystal," meddai
Morfudd y noson honno, "er mae'n amlwg fod o'n ei chanol
hi hefo'r hen ryfel yna. 'Dan ni'n clywed am longau'n cael eu
suddo gan y Mussolini yna o'r Eidal – un yr wythnos, bron â

bod."

"Un arall o ffrindiau mawr Franco ydi hwnnw," meddai Ifan Huws.

"Pam nad oes gan y Basgiaid ffrindiau?" gofynnodd Megan.

"Mae yna rai'n trio'u gorau," meddai'i thad wedyn. "Ond mae'n ddigon gwir fod yna rai hefyd wrthi â'u holl egni yn ceisio cael llywodraeth Llundain i'w gyrru'n ôl adref."

"Eu hel nhw'n ôl i wynebu gynnau Franco!" Roedd y peth yn amlwg yn corddi Megan.

"Mae ambell bapur newydd yn mynd dros ben llestri am y peth," ychwanegodd ei thad. "Honni bod y plant yma yn costio llawer i'r wlad."

"Costio!" Methai Megan â choelio'i chlustiau. "Ond pobl sy'n rhoi arian yn wirfoddol i'w helpu nhw. Dydi'r wlad ddim yn rhoi yr un dimau goch at yr achos! A beth bynnag, sut mae posib eu hel adref – a Franco wedi bomio'u cartrefi?"

"Fedrwn ni wneud dim byd am y peth, mae'n debyg," meddai Morfudd. "Hen dro, ond dyna fo."

Bu'r geiriau hynny ar feddwl Megan drwy gyda'r nos. Yn ei gwely, roedd yn eu troi a'u trosi yn ei phen a chafodd noson anesmwyth.

Ar ôl codi a chael brecwast cynnar, penderfynodd fynd i weld a oedd Lydia wedi dod adref i fferm Penrhynydyn dros wyliau'r haf. Pasiodd wersyll plant Salford a chodi llaw ar Gillian, oedd yn brysur yn golchi llestri. Gwelodd hi'n taflu llond cwpan o ddŵr swigod at un o'r bechgyn a hwnnw'n gwichian chwerthin dros y lle. Mae'r rhain yn cael hwyl, meddyliodd.

Ateb siomedig oedd yn ei disgwyl ar y fferm.

"Na, mae Lydia i ffwrdd yr wythnos yma. Mae hi wedi mynd i gartref plant y Basgiaid yn Hen Golwyn i roi help llaw i'r gwirfoddolwyr. Mae'r plant newydd gyrraedd yno ac mae dipyn o waith eu croesawu'n iawn a'u cael i setlo orau. Rydan ni'n ei disgwyl hi adref ddydd Gwener."

Ar ei ffordd yn ôl i'r pentref, daeth syniad i'w phen. Pam na fyddai wedi meddwl am y peth cyn hynny!

* * *

"Beth wyt ti'n ei feddwl, Ifan?" gofynnodd Morfudd i'w gŵr ar ôl i Megan gyflwyno'i syniad iddo'r noson honno.

"Wela i ddim drwg yn y peth, wir. Mae'n achos da, yn tydi?"

"Ond hel o ddrws i ddrws? Mae hynny'n swnio fel cardota i mi. Ac mae'n ddigon caled ar sawl aelwyd y dyddiau hyn."

"O leiaf, mae ganddon ni aelwydydd," mynnodd Megan. "Rydw i'n sôn am hel ar gyfer plant sydd wedi colli popeth."

"Mae hynny'n ddigon gwir hefyd," meddai'i thad.

"Ond sut ei di â'r nwyddau yma i Hen Golwyn?"

"Mi fydd Lydia'n ôl ddydd Sadwrn. Mi fydd hi'n siŵr o feddwl am rywbeth."

Unwaith roedd Megan wedi cael chwilen yn ei phen doedd dim yn ei rhwystro. Cyn mynd i'w gwely'r noson honno roedd hi wedi gwneud rhestr o'i ffrindiau ysgol ac wedi rhannu'r pentref yn wahanol ardaloedd. Roedd gan bob un ardal ddeg tŷ neu fferm bob un. Yna, roedd wedi galw heibio pob ffrind ac roedd y syniad bellach yn weithred.

"Oes yna nod i bob tŷ?" oedd cwestiwn Gareth wrth gael ei restr yntau.

"Na. Pawb i roi yn ôl ei allu fel ein bod ni'n medru rhannu yn ôl yr angen, yntê?"

Cyn gynted ag yr oedd ei mam yn caniatáu iddi fynd i gnocio drysau ac aflonyddu ar bobl, roedd Megan yn ei chychwyn hi dros y bont y bore canlynol gyda'r bwriad o ddechrau casglu yn y dafarn a gweithio'n ôl at y tai yn ei theras ei hun.

"Wel, aros di rŵan, be rown ni i'r hen blant?" meddai Dafydd y tafarnwr wrth gario casgenni gweigion i'r buarth yn y cefn. "Dydi cwrw'n dda i ddim iddyn nhw. Yli, be wnawn ni ydi rhoi bocs casgliad ar y bar ac mi ofynna i'r cwsmeriaid roi 'chydig geiniogau yr un ynddo – wnaiff hynny'r tro iti, Megan?"

"O, diolch yn fawr ichi, Dafydd Evans."

"Ac mi ro i swllt gwyn yn y bocs inni gael dechrau arni. Tyrd di'n ôl ddydd Llun nesaf ac mi gawn wagio'r bocs."

Aeth Megan ymlaen at Glanyrafon. Roedd Bryn Davies wrthi'n codi tatws.

"Wel, mi fedra i sbario gwlyddyn neu ddau iddyn nhw. Mae 'na gnwd da yn yr ardd yma 'leni. Wyt ti'n meddwl y bysan nhw'n cael blas ar datws Llŷn?"

"Mi fyddan wrth eu bodd, Bryn Davies!"

"Wel, aros i mi gael lapio rhai iti mewn rhyw bapur newydd." Sylwodd Megan fod yr hen arddwr yn dweud y gwir – roedd ganddo chwech neu saith o datws braf dan bob gwlydd.

Cafodd fetys gan Delyth Jones, Tŷ Pen, a thun o bys gan

Alwena Griffiths drws nesa. Erbyn iddi gyrraedd y siop, roedd ganddi lond ei breichiau.

"Dod yma i brynu y bydd pobl fel arfer, Megan fach," meddai Carys y siop, "ond rwyt ti fel petaet ti'n dod yma i werthu!"

Wedi iddi esbonio ei hymgyrch, cafodd bob cefnogaeth yn y siop hefyd.

"Ddweda i be wna i efo ti, Megan. Mi a' i drwy'r silffoedd yma. Dwi angen clirio rhai pethau. Os gwela i fod yna ddefnydd iddyn nhw, mi ro i nhw i gyd mewn bocs iti. A be am y rheiny yn dy freichiau di rŵan? Wyt ti isio bocs ac mi gadwa i nhw yma iti yn y storws yn y cefn? Mi elli ddod â'r nwyddau i gyd yma, a deud y gwir – haws cadw nhw mewn un lle, yn tydi?"

Ar ben hynny, cafodd focs arall, gwag ar gyfer y casgliadau nesaf, a dwy botel o lemonêd cartref a jam mafon gan Neli Roberts y post.

Wrth i Megan gerdded at fwthyn Hen Gapel, rhoddodd ei stumog ryw dro bychan. Twt, meddyliodd, roedd hi wedi cael llonydd gan Jimi ar hyd y flwyddyn, fwy neu lai, wedi iddi ei roi yn ei le a dal ei thir.

Edward, tad Jimi, ddaeth i'r drws, a sigarét yn ei geg.

"Does yna ddim byd gennon ni i'w sbario yn y tŷ yma," meddai'n sychlyd ar ôl clywed neges Megan. "Ma' pob ceiniog yn cyfri ers i mi golli 'ngwaith."

"O! Dydach chi ddim yn yr ysgol fomio rŵan?"

"Y gwaith yna wedi hen orffen. Ddaethan nhw â hanner cant o seiri yno o berfedd Lloegr. I fan'no'r aeth y pres mawr."

"Fawr o waith i bobl ffordd hyn yn y diwedd, felly?"

Caeodd o'r drws yn glep yn ei hwyneb.

Wrth groesi'r bont am dai cyntaf teras ei chartref ei hun, pwy oedd yn anelu am y siop a'r post ond Tom Williams, Bryn Ffynnon.

"Be sy gen ti yn y bocs yna, Megan?"

"'Chydig o bethau i blant Gwlad y Basg."

"Wyau Pasg? Braidd yn hwyr i'r rheiny, ydi hi ddim? Hwyl iti!"

Y noson honno, roedd Megan yn cyfarfod y criw casglu o flaen yr efail. Cariai Gareth sachaid gyfan o datws o fferm Galltyberen, ac roedd yn falch o gael ei rhoi ar lawr ac eistedd arni. Yn fuan iawn roedd bocsys a bagiau o nwyddau yn pwyso ar y sach, a'r criw'n sgwrsio a chwerthin wrth adrodd eu helyntion.

Gwelodd Megan fod Gillian ac un o'i ffrindiau yn cerdded atynt o gyfeiriad y gwersyll. Roedd ganddynt ddiddordeb mawr yn y bocsys a'r casglu, ac ar ôl clywed beth oedd achos y cyfan, dywedodd Gillian:

"Oh! The Basque Relief Fund – yes we have been collecting for them in our church back home in Salford."

Wrth i'r sgwrs fynd yn ei blaen, clywodd Megan fod y gwersyllwyr i gyd yn mynd adref fore Sadwrn, ond sicrhaodd Gillian y byddai unrhyw fwyd fyddai dros ben yn cael ei roi i focsys plant y Basgiaid.

Wrth ddiolch iddi, gofynnodd Megan a oedden nhw eisiau cymorth plant y pentref i dynnu'r pebyll i lawr ddydd Sadwrn. O nac oeddent, atebodd Gillian. Roedd y pebyll yn cael eu gadael yno tan fis Medi pan fyddai criw o bobl ifanc yr eglwys ym Manceinion yn dod yno am benwythnos.

Pennod 2

Roedd hi'n brynhawn Gwener ar Lydia'n cyrraedd adref. Doedd Megan ddim yn medru byw yn ei chroen ers ben bore, yn piciad allan i'r ffordd bob hyn a hyn i weld a oedd golwg ohoni'n cyrraedd o'r dref. Toc wedi pedwar y cyrhaeddodd hi.

Prin ei bod wedi camu oddi ar y bỳs nad oedd Megan yn sefyll o'i blaen.

"Lydia, mae gen i rywbeth i'w ddeud wrthoch chi!"

"Helô, Megan. Sut mae'r haf yn dy drin di? Rwyt ti i'th weld ar dân am rywbeth."

Llifodd y stori o galon Megan. Dywedodd y cyfan heb gymryd ei gwynt, bron. Soniodd am lythyr Wmffra, am ddioddefaint y Basgiaid, am wledydd pwerus yn gwrthod rhoi cymorth, am forwyr dewr yn mentro'u llongau a'u bywydau i gario bwyd a ffoaduriaid. Dywedodd ei bod yn gwybod bod 4,000 o blant Gwlad y Basg wedi cyrraedd ar yr *Habana* a bod pedwar cartref wedi'u creu yng Nghymru ar eu cyfer a bod un yn Hen Golwyn a'i bod yn gwybod bod Lydia wedi bod yn helpu yno ac yn ystod y dyddiau diwethaf ei bod hithau wedi cael syniad gwych, gwych ar gyfer rhoi profiad braf i'r plant yn y cartref yn Hen Golwyn.

"Dowch hefo fi, Lydia." Dechreuodd Megan gerdded ar hyd lôn yr ysgol a chydiodd Lydia yn ei bag a phrysuro ar ei hôl.

"Lle ti'n mynd â fi, Megan, a be ydi'r gyfrinach fawr yma?"

Toc daethant at giât cae chwarae'r ysgol.

"Dwi'n gweld bod yr ysgol Sul yn dal yma," sylwodd Lydia. "Tynnu at ddiwedd eu gwyliau nhw bellach, siŵr o fod."

"Maen nhw'n gadael fory," meddai Megan. "Ond mae'r pebyll yma tan fis Medi."

Trodd Megan i wynebu Lydia a'i llygaid yn serennu.

"Wel?" gofynnodd.

"Wel beth, Megan fach?"

"Ydach chi ddim yn ei gweld hi? Beth am ddod â phlant Gwlad y Basg o'r cartref yn Hen Golwyn am wythnos o wyliau i fa'ma?"

"Gwyliau ... ?"

"Maen nhw'n haeddu gwyliau bach, mi f'aswn i'n meddwl."

"Newydd ddechrau setlo yn y tŷ yn Hen Golwyn maen nhw ... "

"Mi gân nhw fisoedd yn fan'no eto. Mae bron yn ddiwedd haf – dyma'r cyfle olaf i wersylla."

"Ond beth am y gost? Byddai angen bỳs i ddod â nhw yma."

"Mae tafarn Tu-hwnt-i'r-afon yn hel pres mewn bocs wrth y bar ..."

"A'u bwydo nhw ...?"

"Mae ganddon ni lond bocsys o fwyd sbâr yn stordy'r siop dros y bont yn barod ..."

"Ac ydi perchnogion y pebyll a pherchnogion y cae yn fodlon?"

"Dyna pam fy mod i eisiau'ch gweld chi, siŵr iawn!"

Roedd Lydia'n rhagweld nifer o rwystrau a phroblemau eraill, ond roedd hi hefyd yn edmygu'r brwdfrydedd oedd yn gloywi wyneb Megan. Trueni na fyddai mwy yr un fath â hi, meddyliodd, a phenderfynodd nad oedd am daflu dŵr oer ar dân ei heiddgarwch.

"Mi af i gael gair gyda phobl y pebyll yma'n gyntaf," meddai. "Ddaw dim byd ohoni os na allwn ni gael eu cydweithrediad nhw."

"O diolch, Lydia! Dacw Gillian yn fan'na. Awn ni draw ati hi i weld pwy ddylan ni fynd i'w holi?"

Cyn hir roedd y ddwy yn un o'r pebyll hir yn eistedd wrth fwrdd pren gyda dau o arweinwyr y criw.

"Dyma'r babell fwyd," esboniodd Mr Barnes, y gŵr ieuengaf o'r ddau. "Mae'n dal hyd at dri deg o blant, fel y gwelwch chi."

"Handi iawn ar gyfer gemau pan fydd hi'n bwrw glaw hefyd," ychwanegodd Mr Caswell.

"Dwi'n falch eich bod chi wedi mwynhau," meddai Lydia. "Ac ydi'r bobl leol wedi bod yn groesawgar?"

"Hynod!" atebodd Mr Caswell. "Tywydd braf, pawb yn glên – mae wedi bod yn wyliau ardderchog."

"Does neb eisiau mynd adref fory!" ychwanegodd Mr Barnes.

Yn ara' deg a gofalus, eglurodd Lydia beth oedd sefyllfa'r plant yr oedd hi wedi bod yn gofalu amdanynt yr wythnos honno. Doedd dim angen iddi fanylu gormod ar yr hanes.

"Rydan ni'n gwybod am Wlad y Basg," esboniodd Mr Barnes.

"A'r dioddefaint yn Gernika," meddai Mr Caswell.

"A bod y gwledydd mawrion yn gwneud dim ond sefyll â'u dwylo'n segur."

"Rydan ni wedi bod yn codi arian i gronfa plant y Basgiaid yn ein heglwys ni – mae un o'u cartrefi nhw yn Bradford, heb fod ymhell iawn o Salford acw."

Roedd hi'n llawer haws i Lydia lywio'r cais ar ôl cael ar ddeall eu bod yn llawn cydymdeimlad. Cyflwynodd syniad Megan iddynt ac roedd y ddau wedi'u rhyfeddu.

"Ti ... ti gafodd y syniad yma dy hun bach?"

"Ie."

"Wel, mae'n ardderchog! Rhagorol!"

"Dyna beth yw rhannu adnoddau er lles pawb."

"Does gennych chi ddim gwrthwynebiad, felly?"

"Brensiach annwyl, nagoes wir. Bydd hi'n braf meddwl bod y gwersyll yn cael ei ddefnyddio."

"Os llwyddwn ni i drefnu popeth," meddai Lydia, "mi wnawn yn siŵr y bydd pob gofal yn cael ei gymryd ac y bydd popeth yn ôl ichi fel y gadawsoch chi nhw."

"'Dan ni'n gwybod y gwnewch chi," meddai Mr Caswell gan wenu ar y ddwy.

"Tyrd, Megan, 'dan ni wedi tynnu gwaith i'n pennau rŵan!"

Gwir oedd geiriau Lydia. Y cam cyntaf oedd cysylltu gyda'r cartref, a'r ffordd gyflymaf oedd mynd i'r post ac anfon telegram. Dyma'r neges fer oedd arno:

"Cynnig i'r cartref cyfan ddod i wersylla yn Llŷn ymhen wythnos. Fedrwch chi drefnu bỳs?"

"Dyna chi, genod," meddai Neli Roberts y post. "Mi fydd

hwn yn cael ei yrru rŵan i beiriant yn swyddfa bost Hen Golwyn, yn cael ei argraffu yn fan'no a hogyn yn mynd â fo ar feic wedyn i'r cartref. Tydi'r hen fyd yma wedi dod yn bell, dwedwch?"

Galwad nesaf y ddwy oedd y siop. Erbyn hyn roedd nifer o focsys yn y stordy, ond roedd y targed wedi newid erbyn hyn, wrth gwrs.

"Mae 'na ugain o blant," meddai Lydia, "a rhyw dri gofalwr, mae'n siŵr. Bydd angen pedwar pryd y dydd am wythnos."

"Beth am y capeli?" awgrymodd Alwena'r siop. "Mi allwch wneud cyhoeddiad ym mhob un yn yr ardal y Sul yma, a gwneud apêl am fwyd a chymorth. Mae llawer wedi teimlo i'r byw dros y trueiniaid bach yma."

Draw at y prifathro ar ôl hynny. Na, doedd dim problem bod cae'r ysgol yn cael ei ddefnyddio fel hyn.

"Dwi'n falch dros ben bod plant a phobl ifanc y pentra 'ma yn gwneud rhywbeth gwerth chweil yn ystod eu gwyliau haf," meddai Mr Jones y prifathro.

Yn ôl i'r post ar ôl cinio yn Penrhynydyn.

"Telegram wedi dod ichi," meddai Neli Roberts y post wrth i'r ddwy gerdded drwy'r drws.

"Darllen di o, Megan."

"Newyddion gwych. Diolch am drefnu. Bŷs ysgol Bae Colwyn am ddod â ni. Postiwch fanylion llawn."

Cynyddodd y cyffro ar ôl hynny. Tynnwyd mwy o blant y pentref i'r ymgyrch. Cysylltodd oedolion gyda chapeli'r ardal. Gwnaed casgliad arall o ddrws i ddrws a gofynnwyd am addewidion. Roedd ffatri laeth Rhydygwystl yn fodlon dod â llefrith, menyn a chaws i'r gwersyll – drwy lwc, roedd un o'r cyfarwyddwyr yn ffermwr yn yr ardal. Cafwyd cefnogaeth frwd hefyd gan siopau cydweithredol y Co-op ym mhentrefi chwareli'r Eifl ac yn Nefyn. Erbyn nos Sul, roedd gan y trefnwyr ddigon o hyder i estyn croeso pendant i'r Basgiaid i Rydyclafdy, ac roedd Lydia a Megan wrthi'n sgwennu llythyr i'r cartref.

"Be maen nhw angen i'w ddod efo nhw?" gofynnodd Megan.

"Wel, mae'r pebyll yma, y gwlâu gwersyll yn eu lle'n barod, digon o lestri, cyllyll, ffyrc a llwyau. 'Dan ni wedi cael digon o addewidion am gynfasau, blancedi a gobenyddion. Mae pentyrrau o ddillad wedi'u cyflwyno. Dim ond tywelion a phethau molchi fyddan nhw eu hangen, am wn i," meddai Lydia.

"Faint o'r gloch fyddan nhw'n cyrraedd?"

"Mi ofynnwn iddyn nhw adael Hen Golwyn tua naw yn y bore. Mi fyddan eisiau dod ar hyd arfordir y gogledd drwy Gonwy, Bangor a Chaernarfon. Am Bwllheli wedyn ac yna i'r Rhyd. Fyddan nhw yma at ginio dydd Sadwrn."

"A be 'dan ni am wneud efo nhw?"

"Be dach chi'n ei wneud y dyddiau yma?"

"Hel mwyar duon!"

"Wel, mi gân nhw fynd i hel mwyar duon efo chi ar ôl cinio, iddyn nhw gael stiw mwyar i bwdin efo'u swper!"

"Well inni ofyn i'r ffermwyr, gan fod cymaint ohonon ni'n mynd i grwydro'r caeau. O, wn i! Beth am wneud cyngerdd croeso iddyn nhw?"

"Syniad da eto, Megan. Mi allwn ni ofyn i'r prifathro a

gawn ni ddefnyddio'r ysgol."

"A beth am ..."

Llifai'r syniadau ac roedd edrych ymlaen mawr at y Sadwrn hwnnw.

* * *

Roedd tyrfa dda wedi crynhoi o flaen yr efail erbyn diwedd bore Sadwrn.

"Dacw hi!" meddai un o'r plant lleiaf wrth weld y bỳs yn dod i lawr yr allt o gyfeiriad Pwllheli.

"Gwnewch ddigon o le iddi ddod dros y bont a rownd y tro," meddai Mr Jones y prifathro.

Daliai rhai o'r plant faneri draig goch ac roedd llinyn o ddefnyddiau lliwgar wedi'u torri'n drionglau wedi'i glymu o giât i giât o flaen y tai teras.

Arhosodd y bỳs a daeth gwraig ifanc mewn gwisg nyrs oddi arno.

"Bore da," meddai mewn Saesneg gydag acen dramor gref. "Y fi ydi Miss Joakina Olaizola Elordi sy'n gofalu am iechyd y plant yma. Roeddwn i yn nyrs yng Ngwlad y Basg ond bu'n rhaid i minnau ffoi. Os oes unrhyw drafferth deall ein gilydd, fi ydi'r un all helpu gyda hynny. Ond wir, mae llawer o'r plant hynaf wedi dechrau dysgu Saesneg yn reit dda erbyn hyn."

"Croeso mawr ichi, Miss Elordi, a chroeso i'r plant," meddai Mr Jones y prifathro. "Mae rhai o'n plant hynaf ni wedi dysgu peth Saesneg hefyd, ond Cymraeg ydi'n hiaith ni yma."

"Roeddwn i'n deall hynny," meddai Miss Elordi. "Ond

gorau i gyd! Gawn ni wersyll Cymraeg, Basgeg, Saesneg a Sbaeneg. Mi fydd yn hwyl!"

Yna trodd i ddefnyddio iaith hollol ddieithr i glustiau plant Rhydyclafdy.

"Dewch, blant – oddi ar y bỳs. Pawb i gofio am ei fag molchi. Dyna ni, welwch chi. Pentre bach gwledig Cymreig – yma mae ein gwersyll ni."

"Hip ... hip ..." gwaeddodd Mr Jones. A chafwyd tair 'Hwrê' fyddarol i groesawu'r plant wrth iddyn nhw ddod oddi ar y bỳs.

Roedd gwên lydan ar wynebau sawl un o'r plant wrth glywed y croeso. Ond sylwodd Megan fod sawl un yn crychu'i dalcen, yn chwarae efo'i ddwylo'n chwithig ac yn edrych o gwmpas y pentref gyda llygaid tywyll, tywyll.

Pennod 3

"Llythyr gan Wmffra eto heddiw!" gwaeddodd Robin o waelod grisiau Craig Afon.

Rhedodd Morfudd Huws o'r gegin a charlamodd Megan i lawr y grisiau. Toc, roedd y tri o gwmpas y bwrdd gegin yn ceisio darllen y dalennau gyda'i gilydd.

"Symuda dy law, Robin!" meddai Megan yn ddiamynedd. "Dwi wedi cyrraedd gwaelod y ddalen! Dydi pawb ddim mor ara' deg yn darllen â chdi, cofia!"

"Poeth ofnadwy yno yr adeg hon o'r flwyddyn, medda fo," nododd Morfudd. "Dwi'n siŵr ei bod hi hefyd. Gobeithio na chaiff o dwymyn yr haul."

"Yr hen awyrennau yna'n fwy peryg na'r haul, yn ôl pob golwg," atebodd Megan. "Esgob! Llong oedd wedi'i hangori dri lle i ffwrdd oddi wrthyn nhw wedi cael ei suddo yn harbwr Barcelona pan oedd o'n sgwennu hwn. Tro'r ddalen drosodd Robin, imi gael gweld be ddigwyddodd."

"Pam na wnei di ei ddarllen o inni, Megan?" gofynnodd ei mam yn ddiplomatig.

Cododd Megan y dalennau oddi ar y bwrdd.

"Fel hyn mae o'n deud wedyn:

'Mae byddinoedd Franco yn dal i ennill tir. Mae Gwlad y Basg ar

fin gorfod ildio'n llwyr iddo fo rŵan ac mae llywodraeth y
Basgiaid wedi ffoi i Ffrainc. Mae rhai yn dianc o'u gwlad mewn
cychod pysgota bychain ond nid oedd Ffrainc yn barod i'w
croesawu na'u cadw. Mae rhai mewn gwersylloedd cadw yno,
heb fawr o gysgod na dŵr na bwyd, ac mae'r lleill yn cael eu hel
yn ôl dros y ffin ar ochr Catalwnia i fynyddoedd y Pyreneau.

Mae'r môr yn beryglus iawn y dyddiau yma. Mae fel bod
yng nghanol rhyfel, a deud y gwir, ond rydan ni'n dal i fynd yn
ôl ac ymlaen rhwng Barcelona a Marseilles ac Odessa ...'"

* * *

"Llythyr ichi, Miren ac Anton!" galwodd Miss Elordi pan
gyrhaeddodd pecyn o'r cartref yn Hen Golwyn y gwersyll fore
Llun.

Brysiodd Miren draw o'i bwrdd cinio.

"Tyrd, Anton," meddai. "Tyrd inni gael ei ddarllen gyda'n
gilydd."

"Gan bwy mae o, Miren?"

"Gan Mam – dwi'n nabod y ffordd mae'n sgwennu fy enw
i. Stamp Ffrainc sydd arno fo, yli!"

Doedd y ddau ddim wedi clywed gair o adref ers pan
hwyliodd yr *Habana*. Ar ôl cyfarfod yn y gwersyll yn
Southampton, cafodd Miren hanes eu tad yn mynd i chwilio
am Anton ar ffordd Bermeo. Roedd wedi bod wrthi'n holi a
chwilota am ddyddiau gan gysgu mewn sguboriau ffermydd,
fel llawer o'r ffoaduriaid eraill. Roedd awyrennau'r gelyn yn
eu poenydio yn ystod oriau'r dydd ac roedd yn rhaid iddyn

nhw swatio yn y cysgodion yn gyson. Yn y diwedd, roedd José wedi dod o hyd i Anton yn fudur, yn llwglyd ac yn ei ddagrau mewn coedwig heb fod ymhell o Bermeo. Roedd wedi torri'i galon fod y milwyr wedi dod i'r dref ac wedi dal Santos y plismon cyfeillgar ar un o strydoedd. Ceisio helpu teulu i fynd am y porthladd yr oedd Santos, ond aeth y milwyr â fo i ffwrdd ac ni ddaeth yn ôl. Roedd gwraig Santos wedi dweud wrth Anton fod yn rhaid iddi hi aros i weld beth fyddai'n digwydd i'w gŵr ond ei bod hi'n bwysig i Anton fynd am Bilbo. Roedd teulu o'r un stryd ar fin gadael am Bilbo a chafodd Anton fynd gyda nhw. Ond daeth yr awyrennau. Prin fod Anton wedi medru dweud yr hanes wrth ei dad. Roedd y ddaear yn tasgu gan fwledi. Lladdwyd y fam a'r tad ac un o'r plant. Disgynnodd y tad dros Anton a dyna sut y cafodd yntau'i achub. Roedd dau arall o blant amddifad y teulu gydag Anton pan gafodd José hyd iddyn nhw.

Penderfynodd José fynd â'r tri i borthladd Bilbo i fyrddio'r *Habana*. Cael a chael oedd hi. Roedd y llong eisoes wedi'i gorlenwi ac roedd y teithwyr olaf yn cyrraedd y trên yn y porthladd. Yn anffodus dim ond Anton oedd ar y rhestr swyddogol a bu'n rhaid i'r ddau arall fynd ar long oedd yn mynd i Ffrainc. Ffarweliodd Anton â'i dad, a hynny dim ond mewn pryd i ddal y trên olaf am yr *Habana*.

"Edrych! Mae Mam yn gwybod ein bod hi'n dau efo'n gilydd," sylwodd Miren gan ddangos fod enw'r ddau ohonynt ar yr amlen.

"Pa newydd sydd ganddi?" oedd cwestiwn tawel Anton.

"Annwyl Miren ac Anton,

Mae Dad a finnau'n gwybod bod y ddau ohonoch chi'n ddiogel a dyna'r peth pwysicaf yn y byd yn grwn i ni heddiw. Rydym yn gobeithio o waelod calon eich bod wedi dod o hyd i'ch gilydd a'ch bod yn rhannu'r un cartref ac yn cael gofal a charedigrwydd.

Fe welwch oddi wrth y cyfeiriad ar ben y llythyr fy mod yn Perpignan yn ne Ffrainc. Yn ystod y dyddiau olaf cyn i Bilbo ddisgyn i ddwylo'r gelyn, mynnodd Dad fy mod i'n gadael am Ffrainc fel fy mod yn cael hyd i rywle diogel a bod modd i chi'ch dau ddod yn ôl ataf wedyn. Cefais fy symud o'r ardal Basg Ffrengig i'r dref hon. Maen nhw eisiau fy ngyrru yn ôl dros y ffin i Sbaen ond rwyf wedi pledio fy mod angen lle diogel i chi'r plant. Rwyf wedi cysylltu â Teresa, cyfnither sydd gen i wrth ymyl Biarritz, ac yn gobeithio'r gorau.

Mae eich tad wedi ymuno â milisia Gwlad y Basg – byddin o bobl gyffredin ydi honno sy'n ceisio amddiffyn ein gwlad. Maen nhw'n ymladd yn ddewr ond mae'r gelyn mor bwerus ac mor ddidrugaredd.

Atebwch y llythyr hwn yn syth, imi gael gwybod lle'r ydych chi. Rwyf hefyd yn llythyru â'ch tad – felly gallaf gael ei gyfeiriad i chithau gobeithio.

Cadwch eich gobaith yn gryf.

Yn meddwl amdanoch ddydd a nos,

Mam xx

"Rhaid inni gael amlen a phapur sgwennu," meddai Miren yn wyllt. "Rhaid inni sgwennu at Mam y pnawn yma."

Rhedodd at Miss Elordi ar unwaith ac Anton wrth ei chynffon.

"Miss Elordi! Miss Elordi! Oes gennych chi amlen a phapur sgwennu?"

"Mae'n ddrwg gen i, Miren. Nac oes, cofia. Mae popeth felly yn dal yn y cartref yn Hen Golwyn. Wnes i ddim meddwl y byddai neb eisiau sgwennu yn y gwersyll yma. Be ydi'r brys?"

Wedi clywed esboniad y ferch, sylweddolodd Miss Elordi bod perygl i'r plant golli cysylltiad â'u mam oni bai eu bod yn ateb ar unwaith.

"Dyma griw y pentre'n cyrraedd," sylwodd wrth weld Gareth, Gwen, Megan, Robin ac amryw eraill o blant Rhydyclafdy yn cyrraedd y gwersyll gyda phêl-droed ac offer chwaraeon eraill. "Mi holwn ni'r rhain."

"Helô, blantos!" cyfarchodd nhw ar ôl croesi'r cae atynt. "Roedd y noson lawen gawson ni ganddoch chi neithiwr yn wych! Dydan ni erioed wedi clywed caneuon mor swynol yn cael eu canu gan leisiau mor dda!"

"Roedd y dawnsio Basgaidd gan eich criw chithau yn dda hefyd," atebodd Gareth.

"O, mae rhai o'r rhain yn medru ei symud hi, does dim dwywaith. Ac rydych chi wedi dod draw i chwarae efo ni, yn ôl pob golwg?"

"Gawn ni gyfle i roi tro ar yr offeryn pren yna oedd ganddoch chi neithiwr yn gyntaf?" gofynnodd Gareth.

"Pa un wyt ti'n ei feddwl. Y tshalpati?"

"Hwnnw ydi'r un lle mae gennych chi dair styllen bren a dau berson yn eu curo gyda choesau cadair?"

"Ie. Dewch draw i'r babell fwyd."

Aeth Miss Elordi â nhw at fwrdd yn y babell. Gosododd ddwy gôt ar y bwrdd ac yna rhoi tair styllen hir o bren ochr yn ochr ar ben y cotiau fel bod gofod rhyngddynt ac wyneb y bwrdd.

"Fe gawson ni fenthyca'r styllod yma gan saer y pentre," esboniodd Miss Elordi. "Reit. Dyma ni'n barod. Pwy sydd am roi'r gân gyntaf inni."

Gafaelodd Megan a Gareth mewn coes cadair bob un, sefyll wrth ochrau'i gilydd o flaen y styllod a dynwared dull y Basgiaid o guro'r pren gyda phen y coesau. Gwenodd a chwarddodd y ddau wrth gyflymu'r rhythm ac amrywio'r nodau drwy daro gwahanol rannau o'r styllod.

"Penigamp!" meddai Miss Elordi. "Dyna chi'n feistri corn ar un o hen offerynnau gwerin Gwlad y Basg. Ydach chi am fynd allan i chwarae heddiw?"

"Does dim llawer o le ar y cae yma gan fod y pebyll yma," meddai Gareth. "Meddwl mynd i draeth Llanbedrog roedden ni – digon o le i gicio pêl yn fan'no."

"Syniad gwych," meddai Miss Elordi. "Ond cyn inni fynd, oes gan rywun amlen a phapur sgwennu? Rhaid i ddau o'r plant yma sgwennu adref ar frys."

"Mae digon o'r ddau beth adref ganddon ni," atebodd Megan yn syth. "Mae fy mrawd ar y môr yn Barcelona ac rydan ni'n sgwennu ato bob wythnos."

"Miren! Anton!" galwodd Miss Elordi. "Mae papur ac amlen yn nhŷ'r ferch fach garedig hon."

Cyflwynodd Megan ei hun i'r ofalwraig a chafodd hithau glywed enwau Miren ac Anton.

"Gân nhw ddod draw i'n tŷ ni," cynigiodd Megan i Miss

Elordi. "Rydan ni'n byw yn ymyl y post ac mi awn â'r llythyr yn syth yno."

"Syniad da. Dos â llythyr dy fam efo ti, Miren – i wneud yn siŵr bod y cyfeiriad yn gywir."

"Dydd da. *Egun on.* Oes rhywbeth fedra i ei wneud i helpu?" Roedd Lydia wedi cyrraedd y gwersyll bellach ac roedd hi wedi codi ychydig o eiriau eu hiaith yn ystod ei hwythnos yn Hen Golwyn.

"A! Pnawn da, Lydia." Roedd Miss Elordi yn falch o'i gweld. "Falle gallwch chi fynd i oruchwylio'r gwaith o sgwennu'r llythyr a'i bostio?"

"Mi wna i hynny â chroeso. Ewch chi yn eich blaenau am y traeth ac mi ddown ninnau ar eich holau. Mae plant y pentra yma yn gwybod y ffordd yn iawn. Gareth, wnei di ddangos iddyn nhw? Lôn Llanbedrog at Bont Rhyd-Beirion, y llwybr drwy gaeau Penrhynydyn, drwy Wern Fawr a heibio Coed Cae-rhos i Grugan ac ymlaen at y traeth."

Cerddodd y pedwar ar hyd lôn yr ysgol am ganol y pentref. Daliodd Megan y ferch o Wlad y Basg yn edrych arni unwaith neu ddwy. Gwenodd y ddwy ar ei gilydd ond ni ddywedodd yr un ohonynt air.

"Mam! Gawn ni amlen post cyflym a phapur a phensil, os gweli'n dda?" galwodd Megan wrth agor drws Craig Afon.

Ymgasglodd pawb o gwmpas bwrdd y gegin a dechreuodd Miren ar ei llythyr at ei mam.

"Megan, beth am i ti sgwennu'r cyfeiriad fel ein bod ni'n gynt?" cynigodd Lydia.

Fesul llythyren, copïodd Megan y cyfeiriad ar yr amlen.

"Carmen," meddai'n uchel wrth sgwennu enw'r fam ar

dop y cyfeiriad.

"*Bai* – Carmen!" meddai Miren, yn dotio bod y Gymraes yn ynganu enw ei mam mor gywir. "Carmen Alkorta."

Trosglwyddodd Miren y llythyr i'w brawd iddo yntau sgwennu pwt at ei mam. Dyna braf oedd medru dweud wrthi eu bod wedi cael hyd i'w gilydd a'u bod yn mwynhau gwyliau mewn pebyll yng Nghymru. Derbyniodd yr amlen gan Megan.

"Diolch iti, was!" meddai'r eneth o Wlad y Basg.

"Ti'n siarad Cymraeg!" rhyfeddodd Megan.

"*Ez!*" ymddiheurodd hithau, gan droi at Lydia.

"*Marinel galesera,*" eglurodd. "*En ontzi.*"

"Morwr Cymraeg, meddai hi," cyfieithodd Lydia. "Ar ryw long, dwi'n meddwl. Basgeg mae hi'n ei siarad, wrth gwrs. Mae'n rhaid ei bod hi wedi cyfarfod morwr o Gymru yn rhywle."

"Mae 'mrawd ar y môr," ceisiodd Megan egluro wrthi. "Be ydi 'brawd', Lydia?"

"*Alana.*"

"*Anala me,*" geiriodd Megan wrth Miren, gan wneud tonnau'r môr gyda'i llaw.

Cofiodd am lun ohono yn ei gap llongwr. Aeth i'r parlwr i'w nôl oddi ar y silff ben tân.

"A!" llefodd Miren wrth weld y wên lydan yn y ffotograff, gan gofio'r enw ar y llong. "Wm-ffra ..."

"Wmffra! Hei, Mam! Mae Miren yn nabod Wmffra!"

Pennod 4

"*St Winifred*," meddai Miren wedyn.

"Ia, dyna chdi!" llefodd Megan, wedi'i rhyfeddu. "Dyna enw llong Wmffra! Lle ddaeth y ddau ar draws ei gilydd?"

"*Ontzi St Winifred?*" Ceisiodd Lydia drosglwyddo'r cwestiwn i Miren. "*Non?*"

Dilynwyd hynny gan ribidirês o lifeiriant dieithr nad oedd Lydia'n medru'i ddilyn.

"Oes gennych chi atlas?" gofynnodd Lydia i Megan.

"Siŵr iawn – dyna sut y byddwn ni'n gweld o ble mae Wmffra'n postio'i lythyrau."

Rhedodd yn ôl i'r parlwr gan ddychwelyd gydag atlas clawr coch oedd eisoes wedi'i agor yn dangos gogledd Sbaen a de Ffrainc.

"Wmffra ... fan-na!" eglurodd Megan gan bwyntio at Barcelona. Yna pwyntiodd at Marseilles a thynnu llinell yn ôl ac ymlaen i gyfleu ei fod yn hwylio rhwng y ddau borthladd.

"A!" deallodd Miren, gan bwyntio at Bilbo a thynnu llinell yn ôl ac ymlaen rhwng y brifddinas a Saint-Jean-de-Luz. "Bilbo ... Saint-Jean ..."

"Wrth gwrs!" Cofiodd Megan yn sydyn am lythyr ei brawd. "Lle mae llythyr Wmffra? Mae o'n sôn am gario ffoaduriaid o Bilbo."

"Tu ôl y cloc yn y parlwr."

Rhedodd Megan yn ôl i'r stafell flaen ac yna gwibiodd i'r gegin drachefn gan chwifio llythyr ei brawd. Dangosodd y stamp i Miren.

"Yli, stamp Saint-Jean-de-Luz ar hwn. Lle mae'r darn yna hefyd – O! dyma fo:

'Mi anghofiais sôn yn fy llythyr diwethaf imi glywed un o'r ffoaduriaid yma'n siarad Cymraeg efo fi! Cario llwyth o Bilbo i Saint-Jean-de-Luz oedden ni, ac yn hollol annisgwyl dyma'r eneth ifanc yma – tua'r un oed â ti, Megan ydi hi, dwi'n siŵr – yn troi ata i a dweud yn annwyl iawn "Diolch iti, was." '

Pwyntiodd Megan at Miren.

"Ti oedd hon'na!"

"*Bai,*" nodiodd Miren.

Am ychydig eiliadau, doedd dim angen iaith. Roedd gwên heulog y ddwy'n dweud y cyfan. Yn sydyn, cofleidiodd y ddwy gan chwerthin yn uchel wrth wneud. Chwarddodd Megan yn uwch fyth wrth i Miren roi cusan ar ei dwy foch wrth gofleidio.

"Wel, pwy feddyliai," rhyfeddodd Morfudd Huws. "Lle bach ydi'r byd yma wedi'r cwbwl, yntê?"

"Cynt y cyferfydd dau ddyn na dau fynydd," meddai Lydia. "Rydan ni'n nes at y bobl yma nag ydan ni'n feddwl."

"Y post!" cofiodd Morfudd yn sydyn. "Dewch inni orffen y llythyr inni ddal y post cyntaf."

"Beth am inni roi cyfeiriad Craig Afon ar y diwedd?" awgrymodd Megan. "Os ydi Carmen eisiau cael ateb buan at Miren ac Anton, mi allith yrru neges frys atom ni yma."

"Syniad da," meddai Lydia, gan geisio cyfieithu hynny i Miren. Sgwennodd yr enw a'r cyfeiriad mewn llythrennau clir ar waelod y llythyr, gan nodi'n bendant mai dim ond tan ddydd Sadwrn y byddai'n bosib defnyddio'r cyfeiriad hwnnw.

"Ewch chi am y traeth," meddai Morfudd. "Mi ofala i am bostio hwn ac mae ganddon ni ateb i Wmffra i fynd heddiw hefyd. Mi sgwenna i bwt am y ferch fach yma a'i stori fawr. Mi fydd o wedi gwirioni!"

* * *

Erbyn i'r pedwar gyrraedd traeth Llanbedrog, roedd gêm bêl-droed yn ei hanterth, a phawb yn chwarae'n droednoeth. Roedd y criw wedi marcio siâp y cae ar dywod eang y bae gan fod y llanw ymhell allan ar y pryd, ac roedd hi'n dipyn o frwydr gan fod rhyw bymtheg o Wlad y Basg yn erbyn deuddeg o'r Cymry. Gwnaed pedwar swp o grysau ac esgidiau, a'r rheiny oedd y goliau. Mr Williams-Hughes, un o wirfoddolwyr cynorthwyol Hen Golwyn, oedd y dyfarnwr a'r plant lleiaf un oedd y gynulleidfa.

"Ar ba ochor ydach chi eisiau'r rhain, Mr Williams-Hughes?" holodd Lydia ar ôl iddyn nhw gyrraedd y maes chwarae.

"Tri ohonyn nhw? Well iddyn nhw ymuno efo'r Cymry – mae'r Basgiaid yma'n dipyn o ddewiniaid gyda'r bêl ac maen nhw ar y blaen 3-0!"

"Ia, ond mae yna fwy ohonyn nhw, yn does!" chwarddodd Gareth.

"Bydd yn hollol gyfartal rŵan," meddai Mr Williams-

Hughes. "Pymtheg bob ochor. Dewch yn eich blaenau 'ta – hanner awr arall ac mi gawn ni ddiodydd a rhywbeth i de."

Roedd Lydia a Miss Elordi wedi dewis llecyn ar y cerrig mân i osod y basgedi bwyd.

Ailddechreuodd y chwarae. Gan fod cymaint bob ochr, roedd hi'n anodd iawn cael pas hir o un i'r llall – byddai un o'r gwrthwynebwyr yn sicr o'i rhyng-gipio. Roedd hi'n anodd iawn creu symudiad ymosodol. Deuai tacl i mewn o bob ochr, yn ogystal ag wyneb yn wyneb.

Ond sylwodd Megan yn fuan fod dau neu dri o'r Basgiaid yn medru chwarae efo'r bêl yn fedrus iawn gyda'u traed. Igam-ogamu, pasio un-dau chwim rhwng ei gilydd, stopio'n sydyn a newid cyfeiriad ... Roedden nhw'n beryglus o agos i gôl Rhydyclafdy.

Ar hynny daeth Gareth yn ei ôl i amddiffyn a llwyddo i ryng-gipio'r bêl wrth i'r ddau ymosodwr sythu i anelu at eu gôl. Trodd Gareth yn grwn fel ei fod yn wynebu'r ffordd iawn a rhoddodd gic mul i'r bêl yn uchel i'r awyr. Pwy oedd y cyntaf oddi tani ond Anton. Er mai un bychan oedd o, roedd yn medru mynd drwy fwlch bychan hefyd. Gwthiodd rhwng dau o'r Basgiaid mwyaf a'r bêl yn sownd wrth ei draed. Pasiodd hi i'r canol o flaen y gôl.

Gwelodd Lydia mai Meic Hen Gapel oedd yn ei derbyn. Brawd bach Jimi oedd hwnnw. Carlamai gôl-geidwad y Basgiaid i'w gyfeiriad, gan fwriadu deifio i ddal y bêl wrth ei draed cyn iddo ergydio. Symudodd Meic y bêl yn gelfydd i'r chwith gydag ochr ei droed a glaniodd y gôl-geidwad ar ei wyneb yn y tywod. Mater bychan oedd hi wedyn i Meic roi cic union iddi rhwng y ddau 'bostyn'.

Dathlodd Anton a Meic fel petaent wedi sgorio mewn gêm derfynol rhyw gwpan neu'i gilydd. Ailddechreuodd y chwarae a gwaeddodd Gareth ar y genod:

"Megan, Gwen – ewch yn bell allan. Gadewch inni ddefnyddio lled y cae yma."

Rhedodd Gwen i'r asgell, reit ar y llinell yn y tywod. Wedi tacl dda, tynnodd Gareth y bêl oddi ar ei wrthwynebydd a'i phasio'n sgwâr i Gwen. Roedd ganddi hithau ddigon o amser i droi a'i phasio i Megan oedd ymhellach i lawr y maes, eto yn agos i'r ystlys.

"Pasia! Pasia!" llefodd Meic, gan daranu i fyny canol y cae.

"*Bei!* Pasia! Pasia!" gwaeddodd Anton yntau, oedd hefyd yn dod i fyny'r canol fel trên.

Daeth y bêl at draed Meic. Tynnodd yntau'r gwrthwynebydd olaf i'r dde cyn pasio'r bêl i'r chwith i lwybr Anton. Wnaeth hwnnw ddim oedi, dim ond rhoi clec iawn iddi i gyfeiriad y polyn pellach. Llamodd y gôl-geidwad nes ei fod ar ei hyd yn y tywod ond roedd y bêl eisoes wedi'i drechu – a dyna'r ail gôl.

Bu chwarter awr o redeg caled a gwasgu dygn wedi hynny. Roedd hi'n gyfartal iawn yn awr gyda'r pasio a'r taclo yn siarp. Yna daeth y bêl i Meic. Gweodd fel cwningen heibio bachgen a merch oedd dipyn hŷn nag o, cyn ei phasio i lwybr Gareth oedd yn rhedeg am y gornel. Cododd Gareth y bêl i'r entrychion dros ben y gôl-geidwad. Pwy oedd y tu ôl iddo ac a beniodd y bêl yn daclus i'r gôl ond Anton.

3-3!

"Hei, mae'r llanw bron iawn wedi cyrraedd fy mhostyn pella i!" gwaeddodd gôl-geidwad Rhydyclafdy.

Gosododd Mr Williams-Hughes ei fysedd yn ei geg a rhoi chwiban hir.

"Dyna ni, blantos! Gêm dda. Gêm gyfartal ydi hi – mae hynny'n ddigon teg. Mae'r bae yn llenwi rŵan ac mi fydd ein maes pêl-droed ni o dan y tonnau'n fuan iawn. Mae'n amser inni gael diod a chacen."

Bu dipyn o ysgwyd llaw a churo cefnau'i gilydd. Er mai prin oedd y geiriau, roedd y sgiliau pêl-droed yn croesi pob ffin. A phwy oedd yn gyfeillion mynwesol erbyn hyn, sylwodd Megan, ond Anton a Meic.

Roedd lemonêd Mrs Roberts y post yn dorrwr syched heb ei ail ac roedd y plateidiau llawn o fara brith a chacen gri gan deuluoedd y pentref yn cael derbyniad da gan y ddau dîm.

Ar ôl te, dangosodd Robin y batiau a'r bêl a gafodd gan Wmffra.

"Pilato!" rhyfeddodd un o'r Basgiaid.

"Wel wir," meddai Miss Elordi. "Doedden ni ddim yn disgwyl y byddai gennych chi offer gêm genedlaethol y Basgiaid yma yng Nghymru!"

"Lle awn ni i chwarae hon, Robin?" holodd Megan.

Pwyntiodd Robin at hen gytiau cychod cerrig a ddefnyddid gan longwyr y pentref.

Cerddodd y criw yno i gysgod y graig a bu'r Basgiaid yn eu plith yn pwyso a mesur pa waliau oedd orau cyn defnyddio rhai o gerrig y traeth i farcio llinellau. Cafwyd gornestau difyr a sawl tro trwstan ar ôl hynny, ond doedd dim dwywaith mai'r Basgiaid oedd y pencampwyr yn y gêm honno.

Rhyfeddai Megan a Robin at eu gallu i neidio a tharo'r bêl, ac i amseru eu rhediad ac onglau eu hergydion. Dyma beth welodd Wmffra ymysg y morwyr yn Bilbo, meddyliodd Megan. Dyma pam iddo wirioni ar y gêm a dod â hi adref gydag o.

Roedd y llanw wedi cyrraedd pen y traeth pan drodd y cwmni'n ôl am y gwersyll a'r pentref. Dan awyr glir ac yn yr awel gynnes, canai'r Cymry a'r Basgiaid eu caneuon bob yn ail wrth gerdded rhwng cloddiau Llŷn.

Geiriau Cymraeg ar alawon y llongau hwyliau oedd hoff ganeuon y Cymry, gan fod y rhain yn boblogaidd iawn yn Ysgol Rhydyclafdy ers ychydig o flynyddoedd.

"Beth am 'Harbwr Corc'?" galwodd Gareth. A chanodd yr orymdaith:

"O Rhisiart, medda Morus, a Morus medda Twm,
Medda Twm, O hogia bach, a Morus medda Twm;
Well inni riffio'r hwylia, cyn dêl y tywydd trwm,
Tywydd trwm, O hogia bach, cyn dêl y tywydd trwm."

Galwodd un o'r Basgiaid wedyn am un o'u caneuon gwerin eu hunain, a chlywyd cân am rwyfo i'r môr ar gwch pysgota bychan, a'r canu'n diasbedain ar hyd y lôn:

"Y fi yw'r capten newydd,
Y chi yw'r rhwyfwyr ufudd.
Tyn y rhwyf yna, Santi,
Tyn y rhwyf yna, Santi,
Y rhwyf!"

Cafodd plant y pentref swper gyda'r Basgiaid y noson

honno gyda'r rhieni yn cario pob math o fwydydd yno o'u tai. Wrth iddi nosi ac wrth i'r canu barhau, cododd Mr Williams-Hughes ar ei draed a chwifio bwndel o bapurau.

"I orffen y noson, beth am i chi blant Rhydyclafdy dynnu llun o'r ardal yma, ac i blant y Basgiaid dynnu llun golygfa o'u gwlad eu hunain, ac wedyn gewch chi gyfnewid anrhegion i gofio am yr amser gwych yma rydan ni wedi'i gael gyda'n gilydd. Mae Mr Jones newydd bicio i'r ysgol, a dyma ichi bapur a phensiliau lliw ar y bwrdd yn y fan yma."

Cododd y plant i gasglu'r papur a'r pensiliau. Wrth fynd yn ôl at y byrddau, cafodd Meic ei hun yn eistedd wrth ochr Anton. Tynnodd lun o draeth Llanbedrog, y plant yn chwarae a'r haul yn tywynnu. O graffu, roedd modd gweld Anton yng nghanol y llun yn sgorio gôl. Cyflwynodd y llun i'w gymydog gyda gwên.

Wedi oedi ennyd, rhoddodd Anton ei lun yntau i Meic – ond nid oedd gwên ar ei wyneb.

Edrychodd Meic ar y llun. Gwelodd stryd o dai uchel. Uwch y tai roedd awyrennau llwyd gyda bomiau duon yn disgyn ohonynt. Roedd rhai o'r bobl ar y stryd islaw yn gorwedd yn llipa ar y llawr ...

Pennod 5

"Haearn Bilbo!" meddai Gwilym y gof o flaen yr efail yng nghanol Rhydyclafdy. Daliai ddwy bedol yn ei law fawr ac roedd gwên lydan ar ei wyneb garw wrth iddo annerch y twr o blant oedd wedi crynhoi o flaen ei weithdy. "Haearn gorau'r byd!"

Cyfieithodd Miss Elordi y geiriau er mwyn y Basgiaid ifanc, ac roedden nhw wrth eu bodd yn clywed canmoliaeth y gof i gynnyrch eu gwlad.

Drannoeth y daith i'r traeth, doedd rhagolygon y tywydd ddim yn addawol. Er i'r bore cynnar ddangos awyr las, glir, roedd hi bellach yn un ar ddeg o'r gloch ac roedd cymylau'n ymledu o dwll y glaw. I'r gogledd o'r pentref, roedd niwl môr yn cerdded o gyfeiriad Morfa Nefyn gan wthio rhwng y ddwy Garn. Deuai cymylau trwchus fel marchogion gwlanog ar garlam dros Gors Geirch. Doedd hi ddim yn dywydd traeth na thro i'r wlad, ac roedd y plant wedi crynhoi o flaen yr efail am gêm o goets.

"Coets – hen gêm draddodiadol y Cymry," meddai Gwilym. "Roedd yr hen bobl yn defnyddio cylchoedd – digon tebyg i faint y pedolau yma – ac yn eu taflu wrth hela. Mae eisiau cywirdeb a chryfder. Mae'n debyg eu bod yn cael eu defnyddio mewn brwydrau hefyd."

Oedodd er mwyn i'r cyfieithydd gael cyfle i esbonio'r hanes wrth blant y Basgiaid. Cerddodd at drosol haearn oedd wedi'i osod mewn gwely o glai wrth ymyl y lle aros bỳs.

"Y gamp ydi cael y bedol i lanio ar y trosol yma, neu cyn agosed â phosib. Pob taflwr i sefyll yn nrws yr efail a thaflu at y targed. Dwy bedol i bawb. Dewch rŵan i ddewis eich pedolau."

Yn dilyn y cyfieithiad, tyrrodd y plant i mewn i'r efail a dotio at dân ac arfau'r gof. Roedd arogl huddyg yn dew yn yr awyr a gorweddai hen haearnau a gwaith ar ei hanner ym mhob cwr o'r gweithdy. Yn y canol o flaen y tân roedd engan fawr a morthwylion arni, a chafn o ddŵr.

Aeth Gwilym at gasgen bren a thynnu dyrnaid o hen bedolau ohoni.

"Mae yma rai mawr, trwm i geffylau gwedd; rhai ysgafnach i geffylau llai a merlod, a rhai bach iawn ar gyfer mul neu ebol. Dewiswch rai rydych chi'n gyfforddus â nhw."

Allan â phawb wedyn.

"Cadwch yn glir o'r trosol," rhybuddiodd Gwilym. "Mi all ambell bedol gael ei thaflu'n gam, felly neb i sefyll yn agos at y trosol."

Rhoddodd y gof gynnig arni'n gyntaf. Ehedodd ei bedol gyntaf dros y trosol a chlincian yn drwm ar gerrig y ffordd ar y groesffordd. Crychodd y crefftwr ei dalcen, addasu ei anel a thaflu'r ail bedol. Glaniodd honno gyda chlec ar y trosol yn y clai.

"Hwrê!" gwaeddodd y plant.

"Nesaf!" meddai'r gof.

Go chwithig oedd y tafliadau cyntaf. Addas iawn oedd

rhybuddion Gwilym i gadw'n glir o'r targed gan fod pedolau yn mynd yn rhy bell i'r dde ac i'r chwith yn aml. Ond wedi dwy rownd, roedd y tafliadau'n gwella a'r canolbwyntio yn dwysáu.

Ar ganol trydydd tafliad Miren, daeth sgrech ddychrynllyd o enau Anton a oedd yn sefyll wrth ochr Meic ar dalcen pellaf yr efail – yr un agosaf at yr afon.

"*Hegazkin! Hegazkin!*" llefodd.

Trodd pawb i edrych beth oedd achos ei gynnwrf, a gwelsant awyren ymhell ar y gorwel rhwng Garn Fadrun a'r Foel Fawr. Yr awyren oedd wedi'i gyffroi. Wrth graffu, gwelsant fod dwy neu dair arall yn dilyn yr awyren gyntaf.

Dechreuodd amryw o'r Basgiaid sgrechian ac udo ac edrych o'u cwmpas yn wyllt. Roeddent yn ail-fyw yr erchyllterau roedden nhw wedi'u profi yn Bilbo a Gernika.

"*Aterpe!*" gwaeddodd Anton, gan afael ym mraich Meic a chwilio am loches. Yna pwyntio at dri bwa pont y pentref. "*Zubi ...*"

Rhedodd amryw o'r Basgiaid i mewn i'r hen efail, gan fod cadernid y cerrig mawr garw yn ei waliau yn cynnig diogelwch iddyn nhw.

"Na!" gwaeddodd Miss Elordi. "Peidiwch â phryderu. Mae popeth yn iawn. Nid awyrennau'r Ffasgwyr ydi'r rhain ..."

Ond cynyddodd braw y plant wrth i'r awyrennau nesáu at y pentref. Cydiodd y rhai hynaf yn y rhai bychain. Aeth dau i'w cwrcwd y tu ôl i'r engan fawr. Cyrhaeddodd Anton a Meic y bont, a heb oedi dim neidiodd Anton dros wal y lôn ac i lawr y dorlan laswelltog i'r dŵr a phlygu i fynd dan fwa cyntaf y bont, gan lusgo Meic ar ei ôl. Gan mai diwedd Awst oedd hi a'r tywydd wedi bod yn sych a braf, doedd fawr o ddŵr yn afon Geirch.

Teimlodd Meic ei hun yn cael ei wasgu ar ben Anton wrth i ddau arall eu dilyn o dan y bont. Erbyn hyn roedd yr awyrennau yn uniongyrchol uwch eu pennau.

Clywodd Meic gyfarthiad ci. Trodd ei ben a gwelodd gi defaid gydag un glust ddu ac un glust wen. Nel oedd yno – roedd hithau wedi'i dychryn gan dwrw'r awyrennau ac wedi gadael ei lle arferol ar garreg drws ei chartref er mwyn ymochel o dan y bont.

Teimlodd Meic ei hun yn cael ei wthio ymhellach eto wrth i ddau arall stwffio o dan y bont. Pont gul oedd hi, ac wrth i ragor hyrddio eu hunain o dan ei chysgod, dyma Anton yn cael hergwd allan o loches y bwa cyntaf yn ôl i'r awyr agored yr ochr arall.

"*Hegazkin!*" gwaeddodd eto dan ddal ei ddwylo dros ei ben gan fod yr awyrennau mor isel a rhuo'r peiriannau mor fyddarol. Gwelodd Meic fod Anton yn rhedeg i fyny'r afon i chwilio am gysgod ac yn gwyro'n isel dan goed helyg trwchus. Gadawodd Meic loches y bwa a gwasgu dan y canghennau ar ei ôl.

Cythrodd Nel fel peth gwyllt heibio ei goesau a dilyn Anton.

Sythodd Meic a thaflu cip i'r awyr. Roedd yr awyrennau ar y blaen yn gostwng un aden yn awr ac yn troi i'r dde am yr ysgol fomio ym Mhenyberth. Gwelsai Meic a gweddill plant y pentref yr olygfa hon sawl gwaith yn ystod gwyliau'r haf, ond dyma'r tro cyntaf i hyn ddigwydd yn ystod ymweliad y Basgiaid.

Gwelodd Meic fod Anton yn rhedeg a'i ben i lawr fel tarw cynddeiriog, gan fynd nerth ei goesau i fyny'r afon. Roedd ar fin diflannu o'i olwg heibio'r coed helyg ar y tro. Dechreuodd Meic redeg ar ei ôl. Gwyddai ei fod yn mynd i gyfeiriad Cors Geirch, ac ers pan oedd yn ddim o beth, roedd ei rieni wedi'i siarsio rhag mynd ar gyfyl honno.

O flaen yr efail, roedd yr oedolion yn ceisio'u gorau i dawelu'r Basgiaid. Deallodd Lydia a Gwilym beth oedd y broblem a gofynnwyd i blant y pentref i'w helpu i ddangos nad oedd dim perygl i Rydyclafdy gan yr awyrennau hyn.

"Mi aethon nhw allan yn gynnar i gyfeiriad y môr y bore yma ac maen nhw wedi bod ym Mhorth Neigwl tan rŵan," esboniodd y gof. "Gan fod y niwl yn cerdded dros y tir, maen nhw wedi gorfod rhoi'r gorau i'r ymarfer yn gynnar er mwyn glanio'n ddiogel ym Mhenyberth cyn i'r tywydd gau amdanyn nhw."

"Dydyn nhw ddim yn hedfan ar benwythnosau," ychwanegodd Lydia.

"A diwrnod y mecanics ydi dydd Llun," meddai'r gof wedyn. "Maen nhw'n profi a thrwsio'r peiriannau cyn dechrau'r ymarferion ar fore Mawrth."

"Dyna pam nad ydi'r plant yma wedi'u gweld cyn y bore yma," sylweddolodd Miss Elordi. "Doeddwn innau ddim yn deall ein bod mor agos at faes yr awyrlu."

Erbyn hyn, roedd yr awyrennau olaf wedi troi ac yn graddol ddiflannu dros y bryncyn i lanio ar y lleiniau ym Mhenyberth. Wrth i'w sŵn dawelu, mentrodd y plant allan o'r efail, ond yn dal i gydio'n dynn yn ei gilydd a'r ofn a'r dychryn yn fyw iawn o hyd yng ngwyn eu llygaid.

"Pawb yn iawn rŵan?" holodd Miss Elordi. "Ydi pob un yma?"

"Hei! Chi dan y bont!" meddai Miren. "Mae'n saff ichi ddod allan o'r afon!"

Ymddangosodd pen o dywyllwch bwa'r bont. Cerddodd y rhai cyntaf allan yn ofalus, gan dynnu'r calch a'r llwch oddi ar eu dillad gyda'u ddwylo. Fe'u dilynwyd gan dri arall.

"Dyna ni. Doedd dim i'w ofni wedi'r cyfan," meddai Miss Elordi. "Bydd yn rhaid inni geisio anghofio'r hen ddyddiau blin rheiny bellach."

"Anton?" gofynnodd Miren. "Ydi Anton dan y bont o hyd?"

"Nac ydi," meddai un o'r plant llychlyd. "Mi redodd allan yr ochor uchaf iddi."

"A Meic?" holodd Megan. "Oes rhywun wedi gweld Meic? Roedd o gydag Anton, yn doedd?"

Pwyntiodd y plentyn i fyny'r afon eto.

Cerddodd Lydia a Megan a'r gof at y bont, cerdded at ei chanol ac edrych dros ei chanllaw uchaf.

"Wela i mohonyn nhw," meddai Megan.

"Mae'n rhaid eu bod nhw wedi dal i fynd i fyny'r afon dan y canghennau helyg acw yn eu dychryn," meddai Lydia.

"Cors Geirch," meddai'r gof mewn llais dwfn. "Mae'r afon yma'n diflannu i'r gors ac mae yna byllau yn honno sy'n ddigon dwfn i foddi buwch."

* * *

Daliodd y niwl i gerdded yn drwchus dros y tir. Diflannodd y coed pellaf o olwg y criw ar y bont. Dim ond y tai agosaf oedd i'w gweld yn awr ac roedd rhyw lenni llwyd ysgafn yn cau am y toeon llechi, hyd yn oed. Wedi i'r awyrennau ddiflannu, tawodd yr adar a disgynnodd distawrwydd dros y dyffryn bychan wrth i'r niwl ymledu a thwchu.

"Ewch â'r plant i gyd yn ôl i'r gwersyll," meddai'r gof. "Rhaid inni wneud yn siŵr fod pawb arall yn ddiogel i ddechrau. Ydi Jimi yma?"

"Na, dydi Jimi byth yn dod i'r gwersyll," meddai Gareth.

"Lydia, ei di i fwthyn Hen Gapel i ddeud wrthyn nhw am Meic?" gofynnodd y gof. "Rhaid inni gael criw sy'n barod i chwilio'r gors."

Aeth y plant yn dawel i fyny lôn yr ysgol am y gwersyll a chyn hir roedd Edward, tad Meic, a Jimi ar y bont.

"Lle mae'r hogyn yna gennych chi?" Roedd tôn llais Edward yn ddigon cyhuddgar.

"Wedi mynd i helpu bachgen sydd wedi dychryn mae o, Ted," meddai'r gof. "Tydi o ddim ymhell iti. Jimi, aros di ar y bont rhag ofn iddyn nhw ddod yn ôl yr un ffordd. Fedri di chwibanu efo dy fysedd?"

"Medra," atebodd Jimi.

"Gwna hynny os gweli di nhw. Ted, tyrd efo fi i'r post. Mae Gwyn y post yn gyfarwydd iawn â llwybrau'r gors yna gan ei fod o wedi'i chroesi ganwaith wrth ddanfon llythyrau."

Yn y post, doedd y newydd ddim yn rhy dda.

"Dal ar ei rownds mae o," esboniodd Neli Roberts. "Fydd o ddim yn ei ôl tan hanner dydd fel arfer. Mi ddaw efo chi wedyn, does dim sy'n sicrach."

"Well i ni'n dau roi cychwyn arni, Ted," meddai'r gof.

"Ymm ... glywais i chi'n sôn am y gors?"

Yng nghornel y siop, safai Tom Bryn Ffynnon. Gwyrai ei ben ymlaen a daliai ei law wrth ei glust.

"Wel, Tom wrth gwrs!" meddai Mrs Roberts. "Tom oedd yn cario'r post cyn Gwyn ni. Mae o'n nabod y gors fel cefn ei law."

"Maen nhw wedi cychwyn i fyny Llwybr Ceidio," meddai Tom, gan gychwyn am y drws. "Os croeswn ni ar hyd Llwybr y Crawiau, mi allwn ni eu dal nhw cyn iddyn nhw fynd yn rhy bell, gyda thipyn bach o lwc."

Pennod 6

"Anton! Anton! Aros amdana i!" Gwaeddai Meic ar y rhedwr llwyd a welai o'i flaen, gyda Nel yr ast yn gysgod arall wrth ei draed. Roedden nhw'n rhedeg i gyfeiriad y niwl ac roedd hwnnw'n cuddio mwy a mwy ar yr haul bob munud.

Nid oedd Anton yn clywed – neu nid oedd am wrando. Roedd fel anifail wedi dychryn. Fflachiai lluniau o flaen ei lygaid. Bomiau'n disgyn ... waliau'n chwalu ... cyrff yn gorwedd ... bwledi'n poeri ... Roedd llais yn ei ben yn sgrechian "Ymlaen! Ymlaen! O 'ma ...!"

Ceisiodd Meic gyflymu, ond roedd hi'n anoddach erbyn hyn. Roedd gwely'r afon yn fwy mwdlyd ac roedd y llaid yn hel yn drwchus ar ei esgidiau. Roedden nhw wedi gadael gwely gro yr afon yn y pentref ymhell y tu ôl iddyn nhw. Tyfai brwyn yng nghanol y dŵr a lledai wyneb yr afon o gwmpas sawl tusw ohonyn nhw. Teimlai Meic ei draed yn suddo'n is yn y mwd. Roedd ymhell dros ei esgidiau bellach ac yn arafu, arafu. Clywai sŵn slotian y mwd dan ei draed. Sŵn sugno a llyncu.

Gwelodd fod Anton wedi hanner disgyn o'i flaen ac yna wedi gafael mewn brigyn helygen i'w godi'i hun. Sylwodd fod Nel hithau wedi aros i edrych arno. Wrth godi, trodd Anton i'r dde. Gwthiodd ei hun drwy'r brigau a chael tir sychach ond garwach o dan ei draed. Nid oedd llwybr i'r cyfeiriad hwnnw ond defnyddiai Anton ei draed i wasgu hesg tal a chorsennau glas o'r neilltu. Roedd coed bedw mân yn dod ato fel ysbrydion o'r niwl ac ambell wernen dal ganghennog fel cawr a'i freichiau ar led.

Trodd Meic i'w ganlyn. Doedd Meic erioed wedi bod yn y gors o'r blaen. Nid oedd golwg o gaeau dyffryn bach Rhydyclafdy rŵan. Brwyn, hesg a chorsenni oedd yno, a rhyw flodau rhyfedd nad oedd Meic wedi'u gweld o'r blaen. Dilynodd gamau igam-ogam Anton ond methodd ei droed wrth i'r cyfeiriad newid yn sydyn. Saethodd troed Meic dros y ben-glin i mewn i'r gors. Cydiodd yn wyllt mewn dyrnaid o redyn y gors a thrwy siglo ei hun ar y droed rydd, tynnodd ei goes yn ôl i fyny. Edrychodd arni. Roedd gwlybaniaeth du drosti i gyd. Dŵr mawn. Doedd neb yn gwybod pa mor ddwfn oedd rhai o byllau mawn Cors Geirch – dyna roedd ei dad wedi'i siarsio droeon. Er mor brin oedd y glaw ambell haf, doedd y gors byth yn sychu.

Lle'r aeth Anton? gofynnodd Meic iddo'i hun. Gwelodd fod y llwybr igam-ogam yn arwain ymlaen yn ddyfnach i'r gors o'i flaen. Roedd yn rhaid iddo ddal Anton cyn iddo gyrraedd rhai o'r pyllau mawn mwyaf yng nghanol Cors Geirch. Bellach, ni allai weld ymhellach na deg cam o'i flaen yn y niwl ...

* * *

"Dyma ni, Bodgadle," meddai Tom ar ôl i'r tri ohonynt frasgamu i fyny'r allt rhyw filltir allan o'r pentref. "Mi drown ni oddi ar y ffordd yn y fan yma – mynd heibio'r buarth a dilyn y ffordd drol i lawr at y caeau ac yna am y gors. Rydan ni wedi cael ffordd sych o dan ein traed ac felly mi ddylian ni gael y blaen arnyn nhw erbyn fyddwn ni'n fan'cw."

Wrth ddisgyn i lawr y llechwedd am y tiroedd gwlyb roedd y tri hefyd yn cerdded i'r niwl môr oedd yn flanced wen dros bopeth.

"Mae'n bwysig cadw at y llwybr," meddai Tom. "Mi all rhywun gerdded mewn cylch mewn niwl a dod yn ôl i'r union fan lle cychwynnodd o."

Cododd hwyaden ddŵr yn swnllyd o'u blaenau gan daflu'r tri oddi ar eu hechel am eiliad. Gan eu bod wedi oedi, cynigiodd Gwilym,

"Beth am inni roi gwaedd?"

"Rhoi gwaed? I be wnawn ni beth felly?" gofynnodd Tom, gan fod ei glust fyddar yn digwydd bod wedi'i throi at gyfeiriad y gof.

Aeth y gof at ei glust orau.

"Rhoi GWAEDD fel hyn ro'n i'n feddwl."

Neidiodd Tom wrth i lais dwfn y gof daranu drwy'i ben.

"Does dim eisiau 'u dychryn nhw, yn nag oes! Mae hwn fel Corn Enlli, Ted."

"MEIC! MEIC! MEIC!!" gwaeddodd y gof.

Safodd y tri yn y distawrwydd yn clustfeinio am y smicyn lleiaf o ymateb.

Dim byd.

"Dewch," anogodd Tom. "Dal i'r chwith rŵan ac mi ddown ni at Lwybr y Crawiau mewn rhyw bum munud. Mae hwn yn torri ar draws canol y gors."

* * *

Er bod y niwl yn fwyfwy trwchus, gallai Meic weld Anton yn gliriach erbyn hyn.

Dwi bron â'i ddal, meddyliodd.

Roedd hi'n amlwg fod y dychryn yn gadael y Basgiad ifanc yn ara' deg, ond roedd y nerth yn gadael ei goesau yr un pryd. Pum cam arall, meddyliodd Meic.

Pedwar cam ...

Roedd ar fin estyn ei fraich ar ei ysgwydd pan ddiflannodd Anton o'i olwg yn ddirybudd. Roedd Nel hithau wedi sefyll yn stond.

"Anton! Lle'r wyt ti?" Cofiodd Meic waedd Anton ar y traeth a galwodd, "*Bei!* Pasia, pasia!"

Clywodd sŵn byrlymu a sblasio o dan ei draed a gwelodd fraich Anton yn tasgu o'i flaen. Cyfarthodd Nel yn uchel a siarp. Sylweddolodd Meic ei fod ar silff fregus o dywarchen a bod dibyn serth yn diflannu i'r dŵr tywyll oddi tano. Un o'r hen lynnoedd mawn – roedd wedi cael ei rybuddio am y rhain.

Ymestynnodd oddi ar y dywarchen lithrig a gallai gyffwrdd â braich Anton gyda blaenau'i fysedd. Daliai Anton i gwffio'r dŵr du a chwifio'i fraich. Yn sydyn, tasgodd ei fraich arall i'r wyneb. Roedd yn nes at Meic a chydiodd yntau ynddi gyda'i ddwy law a thynnu â'i holl egni.

Gallai glywed y breichiau'n codi ac mewn eiliad, dyma wyneb Anton yn dod i frig y pwll. Ymladdai am ei wynt ac wedi iddo agor ei lygaid a sylweddoli beth yn union oedd yn digwydd, cynhyrfodd unwaith eto. Ni allai feddwl am ddim ond bod rhaid iddo ddod allan o'r pwll mawn. Gafaelodd yng nghefn crys Meic a thynnu ei hun i fyny dros ei ben. Gafaelodd yn ei wregys a dringo drosto fel petai'n dringo i fyny ysgol. Teimlodd Meic ei ben yn cael ei wasgu i'r pwll. Daliodd ei anadl.

Llithrodd Anton ei gorff ar hyd corff Meic a rowlio ar y dywarchen. Ond wrth wneud hynny, pwysai ben Meic druan ymhellach i'r pwll. Clywodd Meic y dywarchen yn siglo. Ceisiodd afael yn rhywbeth, ond roedd popeth mor llithrig. Cydiodd mewn corsen, ond daeth honno'n rhydd o'i gwraidd. Siglodd y dywarchen ar ongl serthach a theimlai Meic ei hun yn llithro ar ei ben i'r pwll.

Gwyddai fod yn rhaid iddo droi. Gwyddai fod yn rhaid iddo godi'i ben at wyneb y pwll mawn. Ciciodd, ond teimlai'r dŵr yn dew. Cododd ei freichiau uwch ei ben i geisio cael gafael yn rhywbeth ... Teimlodd law Anton ...

* * *

"Cyfarthiad ci? Glywsoch chi gyfarth?" gofynnodd y gof.

"Chlywais i ddim byd, ond peidiwch â synnu at hynny," atebodd Tom.

Rhyfeddodd y ddau arall mor uniongyrchol y cerddai Tom Bryn Ffynnon drwy'r niwl. Mae'n rhaid ei fod yn nabod y llwybrau hyn fel cefn ei law.

"Dyma ni," cyhoeddodd toc. "Mae Llwybr Ceidio yn mynd ymlaen i'r chwith yn fan hyn. Draw acw i'r dde mae'r llwybr at Rydyclafdy a'r bont. Yn syth o'n blaenau ni rŵan mae Llwybr y Crawiau."

"Beth am roi gwaedd arall? MEIC!" galwodd y gof.

"Beth oedd enw'r bachgen Gwlad y Basg yna?" holodd Edward. Ond nid oedd yr un o'r ddau arall yn cofio'r enw hwnnw.

Galwyd enw Meic sawl tro gan ddisgwyl am ateb drwy dawelwch y gors.

"Dydyn nhw erioed wedi cyrraedd fa'ma o'n blaenau ni," meddai Tom. "Y peth gorau ydi dy fod ti, Gwilym, yn dilyn y llwybr yn ôl at Rydyclafdy i weld os doi di i'w cyfarfod nhw. Mi eith Ted a finnau ar hyd Llwybr y Crawiau. Ella eu bod nhw wedi dal i'r dde a mynd i ganol y pyllau 'na."

"Ydi'r crawiau yma'n saff, Tom?" gofynnodd Edward yn bryderus.

"Maen nhw yma ers cenedlaethau, meddan nhw. Talpiau o lechi llawr garw yn nofio ar wyneb y gors ydyn nhw, 'blaw bod mwsog a gweiriach wedi tyfu drostyn nhw. Llwybrau'r potsiars ers talwm, meddai rhai."

"Nofio maen nhw?" Roedd y pryder yn amlwg yn llais Edward.

"Ia. Paid â neidio arnyn nhw, be bynnag wnei di! A chadw yn ôl fy nhraed i, neu os methi di grawan, mi fyddi yn y dŵr mawn at dy geseiliau. Rho Gorn Enlli inni os gweli di rywbeth, Gwil."

Nodiodd y gof a chychwyn ar hyd y llwybr drwy'r brwyn yn ôl am y pentref.

Cerddodd yr hen bostman yn fras chwe cham ar hyd llwybr y crawiau cyn troi yn ôl i weld lle'r oedd Edward arni. Ar yr ail grawan, roedd gŵr Hen Gapel wedi sefyll ar ei blaen, nes bod y pen arall yn codi fel trwyn cwch o'r gors.

"Cama ar *ganol* y grawan, Ted. Edrych lle dwi'n rhoi fy nhraed." Trodd Tom a cherdded yn ei flaen i niwl oer canol y gors.

* * *

Pan deimlodd Meic flaenau'r bysedd, gwnaeth ymdrech lew arall i wthio'i hun i fyny i'r wyneb. Ymdrechodd Anton yntau i afael â'i ddwy law. Cydiodd y ddwy law am un arddwrn. Tynnodd. Ysgydwodd Meic ei draed a chlywodd ei hun yn codi. Ond pan gyrhaeddodd wyneb y pwll a dechrau anadlu eto, roedd wedi ymlâdd.

"*Etorri!*" meddai Anton gan ei annog i godi'i hun.

"Na, fedra i ddim ..." atebodd Meic. "Gwreiddiau neu rywbeth ... mae 'nhroed i'n sownd ..."

* * *

Sylwodd y gof fod y brwyn wedi'u gwastatáu i'r chwith iddo. Craffodd cyn belled ag y gwelai drwy'r niwl. Oedd, roedd yn edrych fel petai llwybr wedi'i dorri gan yr hogiau drwy'r hesg a'r corsenni tal.

Rhoddodd waedd uchel.

Clywodd gi yn cyfarth.

* * *

"Glywaist ti hynny?" gofynnodd Edward.

"Fedra i ddim clywed taran uwch fy mhen, mi wyddost yn

iawn," atebodd Tom Bryn Ffynnon.

"Gwaedd. Llais Gwilym y gof, dwi'n siŵr. A rhyw gi hefyd."

"Pa ffordd?"

Pwyntiodd Edward tua'r dde iddynt. Gwyrodd yr hen bostman ei glust orau.

"M ... E ... I ... C ...!"

"Do! Mi glywais i honna!" meddai Tom. "Ddim ymhell iawn erbyn hyn. Awn ni ymlaen at y pwll mawn cyntaf, wedyn mae yna lwybr crawiau arall allwn ni ei ddilyn i'r dde."

* * *

Clywodd y gof gyfarthiad arall a gwaedd ddieithr yn ei ateb, a brwydrodd ei ffordd drwy'r hesg i'w cyfeiriad. Pan ddaeth y siapiau'n gliriach drwy'r niwl, gwelodd fod Anton ar ei hyd ar y dywarchen yn dal arddwrn Meic â'i holl nerth ac yn cadw'i wyneb uwch y dŵr, a Nel yn gyffro i gyd wrth ei ochr.

"Tom! Ted! Yma!" bloeddiodd y gof gan fynd ar ei bengliniau ar lawr.

Ar hynny, cyrhaeddodd y ddau arall. Llamodd Edward at ochr y gof a rhwng y ddau ohonyn nhw, fuon nhw fawr o dro cyn tynnu Meic o'r pwll.

Tynnodd Edward ei siaced a'i lapio am ei fab. Rhoddodd y gof ei wasgod yntau am Anton. Trodd Edward ac edrych ym myw llygaid y bachgen o Wlad y Basg, gan ddweud a'i holl galon yn y geiriau, "Diolch iti, was."

Pennod 7

Roedd niwl y môr yn dal i bwyso ar y dyffryn bach drannoeth. Cododd Megan i weld llaw wen y niwl ar ffenest ei llofft. Prin y gallai weld yr efail ar draws y ffordd. Ond roedd tân yn yr efail – gallai weld llygedyn coch o olau drwy'r drws agored.

Fydd 'na ddim chwarae coets y bore yma, meddyliodd – a chofiodd eto am gryfder Gwilym y gof ac adnabyddiaeth Tom Bryn Ffynnon o'r gors y diwrnod cynt. Diolch amdanyn nhw, meddyliodd. A diolch am gyfarthiad Nel hefyd. Doedd yr un o'r hogiau fawr gwaeth ar ôl cael twbiaid iawn o ddŵr cynnes yng nghefn Hen Gapel. Bu'r pnawn ar ôl hynny yn un i'w gofio am sawl rheswm! Daeth y teuluoedd â basgedi o fwyd a chafwyd te mawr ym mhabell fwyta'r gwersyll. Y peth gorau un am y te, meddyliodd Megan, oedd bod Jimi wedi cyrraedd yno gyda basged yn ei law.

"Be sy gen ti'n fan'na, Jimi?" roedd hithau wedi gofyn iddo wrth ei weld yn chwilio amdani ac yna'n cerdded ati.

"Wyau," atebodd, gyda gwên swil ar ei wyneb a'i lygaid ar y ddaear. "Dwsin o wyau i'r te pnawn 'ma."

"Diolch yn fawr iti, Jimi," roedd hithau wedi'i ateb yn gynnes.

Roedd ar fin gadael pan droes yn ôl, a'r tro hwn edrychodd i wyneb Megan.

"Roeddat ti'n iawn. Dydi'r ieir ddim yn dodwy cymaint rŵan ers i'r hen awyrennau yna ddod yma i gadw sŵn."

Doedd dim angen iddi wneud dim ond nodio'i phen yn dawel.

Ar ôl y te braf, roedd Lydia wedi codi ar ei thraed ac wedi gofyn i Miss Elordi a Mr Williams-Hughes oedd rhai o blant y Basgiaid eisiau egluro i blant Rhydyclafdy beth oedd awyrennau rhyfel wedi'i wneud yn eu trefi a'u pentrefi nhw.

"*Bei*, rwy'n credu bod hynny'n syniad da iawn," meddai Miss Elordi. Trodd i siarad gyda'r plant a gofyn a oedd rhywun am ddweud ei stori.

Cododd merch ar ei thraed a dechrau adrodd hanesyn yn ara' deg. Yna roedd yn amlwg yn cynhyrfu, ei breichiau'n chwifio a'i llygaid yn tanio. Tawodd â siarad mwyaf sydyn, ac eistedd i lawr a'r dagrau ar ei hwyneb.

"Dyna ti, Angeles," meddai Miss Elordi gan fynd ati a mwytho'i chefn. "Roedd yn dda iti gael bwrw dy fol. Yn nhref Durango yr oedd Angeles yn byw. Mae hi'n gweld yr awyrennau cyn mynd i gysgu bob nos, meddai hi. Bore Mercher oedd hi. Roedd hi yn yr eglwys, yn rhan o gynulleidfa fawr yr offeren gynnar. Daeth bomiau drwy'r to uchel a gwelodd trawst trwm o'r nenfwd yn disgyn ar ben y Tad Carlos Morilla, yr offeiriad. Roedd pawb yn sgrechian ac yn rhedeg ... Roedd yr eglwys hardd yn rhacs ..."

Un ar ôl y llall, cododd y plant a rhannu'u profiadau. Un o'r rhai olaf i wneud hynny oedd Anton.

"Mi welais i darw gyda'i groen ar dân," cyfieithodd Miss Elordi ar ôl iddo eistedd. "Yn y farchnad roeddwn i, ac roedd oglau cig yn llosgi ym mhob man. Roedd yr awyrennau mor isel, roeddwn i'n medru gweld y croesau duon ar eu cynffonnau nhw. Doeddan nhw ddim yn fodlon nes bod pob adeilad wedi'i chwalu neu'n wenfflam. Filltiroedd i ffwrdd, roedd yn bosib gweld nadroedd o dân yn neidio i'r awyr. Roedd hi'n edrych fel dinas gyda'i gwallt ar dân ..."

Wedi i bawb ddweud ei bwt, eisteddai'r plant yn rhesi tawel. Roedd y niwl wedi cau am y pentref cyfan bellach a rhyw fudandod wedi disgyn dros yr ardal i gyd.

Ar hynny, pwy ddaeth i mewn i'r babell ond Tom Williams, Bryn Ffynnon. Roedd yn cario clamp o radio newydd sbon gyda'r gwaith pren arni'n sgleinio.

"Ylwch beth sydd newydd gyrraedd o'r siop radio yn y dre!" Cariodd y teclyn a'i roi ar fwrdd yng nghanol y babell. "Ylwch beth sydd yn ei chefn hi – batris newydd sbon! Dwi wedi'i chael hi ar gyfer y ffeit fawr yn America – wyddoch chi, Tommy Farr, y paffiwr o Gymru, yn erbyn pencampwr y byd, Joe Louis, y dyrnwr mawr o America."

"Pryd mae'r gwffas honno, Tom?" gofynnodd Lydia, gan godi'i llais wrth ei glust orau.

"Oriau mân bore dydd Mawrth nesaf. Mi fydd pawb yn y pentra yma eisiau ei chlywed hi. Wnawn ni ddim ffitio ym mharlwr y post, felly mi gaiff bawb yn ein rhes ni ddod i Fryn Ffynnon i wrando arni. Meddyliwch – paffio yn America a ninnau'n clywed pob gair yn Rhydyclafdy!"

Esboniodd Lydia i Miss Elordi mor bwysig oedd yr ornest hon. Glöwr o un o gymoedd glo y de oedd Tommy Farr, dyn caled a chryf ac roedd eisoes yn bencampwr Prydain a'r Ymerodraeth. Roedd llawer yn credu y gallai drechu Joe Louis, pencampwr y byd, dim ond iddo gael gornest deg. Ond yn anffodus, yn yr Yankee Stadium yn Efrog Newydd yr oedden nhw'n paffio, ac roedd hynny'n fantais fawr i'r Americanwr, mae'n debyg.

"Ond mae'n amser *Awr y Plant*," meddai Tom. "Dyna pam fy mod i wedi dod â hi yma ichi. Pump o'r gloch bob dydd – *Awr y Plant*. Gadewch imi weld rŵan, signal mast Penmon ar 804 rydw i isio ... Pa un o'r rhain ydi botwm y sŵn, dwedwch ...?"

Roedd tri botwm mawr ar waelod y radio ac wrth i Tom droi un ohonyn nhw, roedd nodwydd yn symud o rif i rif. Cododd y plant i gyd a nesu at y set.

Deuai gwichiadau a synau aflafar o grombil y set wrth i Tom droi'r deial.

"Does yna ddim sŵn ynddi, yn nagoes?" meddai Tom yn siomedig, er bod y gwichiadau yn crafu clustiau pawb arall yn y babell.

Symudodd Tom ei law at fotwm arall. Cynyddodd y sain. Symudodd y plant yn ôl – roedd y sŵn yn hollti'u pennau erbyn hyn.

"Ho! Dyna well! Dwi'n clywed rhywbeth o'r diwedd," meddai Tom gyda gwên. "Pa iaith ydi hi, dwedwch?"

"Dydi o ddim yn y lle iawn, Tom. Mae'r nodwydd ar wyth gant ..." ceisiodd Lydia esbonio.

"Ia, *Awr y Plant* – hwnnw rydan ni'i isio," meddai Tom.

Trodd Lydia'r botwm i 804. Yn y pellter, clywsant lais craclyd fel petai'n siarad drwy storm eira.

"Gwych! Hollol glir!" meddai Tom.

* * *

Yn ddiweddarach y bore hwnnw, cerddodd Megan ar draws y lôn i'r efail.

"Sut wyt ti, Megan fach," holodd y gof yn hwyliog.

"Mae'r niwl yma o hyd," atebodd hithau.

"Yma y bydd o rŵan tan y Sul. Rydan ni'n cael dipyn o niwl môr yma'n Llŷn ar ddechrau a diwedd yr haf fel hyn. O leia fydd yna ddim awyrennau i'n poeni ni eto."

"Ond mae gwyliau plant Gwlad y Basg yn dod i ben – bechod na chân nhw dywydd braf i fwynhau'u hunain."

"Twt, mae'n braf ar ben y Garn, siŵr iawn."

"Sut ydach chi'n gwybod hynny, Gwilym?"

"Mae'r Garn yn codi'n uchel uwchlaw'r niwl. Os ewch chi i fyny'r allt o'r pentra ac i'w chopa hi, mi gewch chi olygfa fythgofiadwy."

Rhedodd Megan i'r gwersyll i gyflwyno'r syniad hwnnw i'r gofalwyr ac yn wir, roedd Gwilym y gof yn llygad ei le. Gorweddai blancedi gwlanog o niwl yn y pantiau rhwng bryniau Llŷn, ond roedd pob bryn a phob copa yn glir ac yn llygad yr haul, a'r awyr yn las uwch eu pennau. Jimi a roddodd y geiriau gorau i'r olygfa:

"Mae fel Gwlad y Tylwyth Teg, yn tydi?"

Roedd y niwl ychydig teneuach ddydd Iau a dydd Gwener a mentrwyd teithiau i'r traeth unwaith eto. Tra oedd y plant a'u gofalwyr yno, roedd sgwrs anarferol o ddwys yn y post yn Rhydyclafdy.

"Be wyt ti'n feddwl y dylan ni ei wneud, Gwilym?" gofynnodd Gwyn y post. "Deud wrthyn nhw neu beidio?"

"Peidio. Ddim ar unrhyw gyfri," atebodd y gof. "Mae'r creaduriaid bach wedi bod drwy'r felin ddigon. Gadewch iddyn nhw fwynhau gweddill eu gwyliau."

"Dyna rydw innau'n ei ddeud hefyd," meddai Mrs Roberts y post. "I be sydd eisiau rhoi'r fath boen meddwl iddyn nhw yr holl ffordd yn ôl i Hen Golwyn? Gân nhw glywed yn fan'no, a chael cyfle i ddod dros y newydd."

Ar hynny, dyma Tom Bryn Ffynnon drwy'r drws.

"Glywsoch chi nhw ar y radio?" gofynnodd.

"Pwy, Tom?"

"Joe Louis a Tommy Farr. Roedd y ddau'n cael eu pwyso cyn y gwffas ac mi welodd Joe Louis y creithiau glas yma ar gefn Tommy. 'Lle gest ti'r rheiny?' gofynnodd o. 'Ymladd efo teigrod!' oedd ateb Tommy! Dyna chi dda, yntê? Briwiau'r pwll glo oeddan nhw – creithiau glas dan ddaear. Ond roedd honna'n un dda, Tommy!"

Dechreuodd Tom ddawnsio fel pe bai mewn cylch paffio a rhoi clincar o ddwrn chwith i'w gysgod.

"Methu disgwyl i fore Mawrth gyrraedd, siŵr gen i, Tom," meddai'r gof.

"Mae o wedi gwneud yn wych i gyrraedd lle mae o, tydi?" atebodd Tom, gan gamu allan o'r cylch paffio am funud. "Glöwr yn ddeuddeg oed, dechrau paffio yn dair ar ddeg ac wedi ymladd dros gan ffeit mewn deng mlynedd. Hyd yn oed os bydd o'n colli – ac mae Joe Louis yn chwip o baffiwr – bydd enw Tommy Farr byw am byth."

"Mae posib colli, er rhoi popeth i'r ornest," cytunodd y gof.

"A dyna ni'n ôl efo hanes y Basgiaid eto," meddai Mrs Roberts y post.

"Basgiaid?" Roedd Tom wedi dal yr enw yn y frawddeg.

"Gwlad y Basg newydd ildio i fyddin Franco heddiw, Tom," esboniodd y gof.

"Does gan y plant bach yma ddim gwlad i fynd adref iddi hi rŵan," ychwanegodd Mrs Roberts. "A be fydd hanes eu rhieni nhw, Duw a ŵyr."

"Roedd newyddion y radio'n deud bod dynion Franco yn lladd eu gwrthwynebwyr. Dim trugaredd," meddai Gwyn y post.

Pennod 8

Roedd y bore Sadwrn hwnnw yn ddiwrnod braf o ddiwedd haf. Cerddodd Megan heibio'r dafarn a throi i'r dde am lwybr y llethr eithinog a'r bryn hir. Roedd yn rhaid iddi gael awyr iach. Clirio'i phen.

Gwelodd yr aeron coch ar y coed criafol. Roedd y gwenoliaid cyntaf yn dechrau heidio, ac ysfa gadael Llŷn yn cosi plu eu hadenydd. Ymddangosodd ymylon melyn ar ddail y bedw. Roedd y tymor yn troi.

Cafodd newydd da gan Lydia'r noson cynt – roedd wedi clywed ar y newyddion Cymraeg ar y radio am hanner awr wedi saith bod Tri Penyberth wedi cael eu rhyddhau o'r carchar yn Llundain y dydd Gwener hwnnw. Roeddent ar eu ffordd yn ôl i Gymru. Bydd cyfarfod mawr i'w croesawu ym Mhafiliwn Caernarfon ymhen rhyw bythefnos, meddai Lydia, ac roedd disgwyl miloedd ar filoedd yno. Bydd angen ei chymorth i greu baneri a phosteri, meddai'r athrawes yn llawn brwdfrydedd.

Ond y bore yma, roedd Gwyn y post wedi cyrraedd a'i wynt yn ei ddwrn a'i wyneb fel y galchen. Roedd wedi bod yn gwrando ar newyddion cynta'r bore.

"Y *St Winifred*!" meddai. "Llong Wmffra, yntê! Roedd yn deud ar y newyddion bod awyrennau Franco wedi ymosod arni yn harbwr Barcelona neithiwr. Doeddan nhw ddim yn gwybod faint o ddifrod. Deud roeddan nhw rŵan fod Gwlad y Basg wedi syrthio i ddwylo Franco, a bod o bellach yn canolbwyntio ar Catalwnia a Barcelona. O, gobeithio y clywch chi gan Wmffra'n fuan!"

Bu'n rhaid i Megan fynd o'r tŷ. Galwodd ar Nel yr ast i ddod gyda hi.

O ben y bryn, edrychodd draw am Bwllheli a Bae Ceredigion. Roedd niwl y dyddiau cynt wedi clirio erbyn hyn, heblaw am ychydig darth gwyn yng nghymoedd mynyddoedd Meirionnydd ar y gorwel. Roedd blwyddyn wedi mynd heibio ers iddi weld yr olygfa hon am y tro cyntaf, meddyliodd. Dydi'r môr a'r mynydd ddim wedi newid llawer, dywedodd wrthi'i hun, ond mae'r byd wedi mynd o'i gof.

Cyrhaeddodd y giât ac aeth drwyddi. Cofiodd am y 'gwyliwr adar' a'i drowsus yn ei sanau gwlân. Sut flwyddyn a gafodd hwnnw yn y carchar yn Llundain, tybed, ac a fydd Cymru'n wahanol, rŵan eu bod nhw'n rhydd eto. Gallai weld Penyberth bellach, neu RAF Penrhos, fel yr oedd yn cael ei enwi ar arwyddion ffyrdd. Ta waeth am y tân, roedd adeiladau di-ri yno wrth droed y llechwedd bellach, ffyrdd pwrpasol a llwybrau i'r awyrennau godi a glanio arnyn nhw. Gwelodd fod rhai o'r awyrennau y tu allan i'r cytiau mawr a bod ffenestri'r peilotiaid yn cael eu golchi.

Beth fydd y peilotiaid yma'n eu gweld, tybed, cyn gollwng eu bomiau a saethu eu bwledi? Dinasoedd, trefi, pobl, plant ...?

Meddyliodd am Wmffra eto ac eisteddodd ar y bryn, gan dynnu'i phengliniau at ei thrwyn a'r olygfa'n niwlio o'i blaen, er bod y bore yn berffaith glir o hyd.

* * *

"Lle mae Megan?" holodd Morfudd Huws.

"Mi aeth am dro, dwi'n meddwl," atebodd Robin.

"Plant bach y Basgiaid sydd yn y drws. Maen nhw'n holi amdani. Isio'ch gweld chi i gyd cyn i'r bỳs adael."

Aeth Morfudd yn ôl at y drws. Gwelodd fod y bỳs yng ngheg lôn yr ysgol, wedi troi wrth yr efail ac yn wynebu'r ffordd yn ôl am Bwllheli. Roedd nifer o'r pentrefwyr yno'n barod i ffarwelio â'r gwersyllwyr. Ar seddi blaen y bỳs, i'r chwith o'r gyrrwr, roedd clamp o faner Draig Goch.

"Bore da, Morfudd," meddai Lydia. "Be ydach chi'n ei feddwl o'r faner yma? Rydan ni'n ei rhoi hi i'r plant yma i gofio am eu gwersyll yn Rhydyclafdy."

"Ydi, mae hynny'n syniad da iawn," atebodd Morfudd, ond heb lawer o sbonc yn ei llais.

Ar hynny daeth y gof allan o'r efail gyda phedair pedol a bar haearn.

"Haearn Bilbo!" meddai Gwilym, gan eu dal uwch ei ben. Estynnodd nhw i Anton yn rhodd ac roedd hwnnw'n wên o glust i glust. "Gobeithio y cewch chi fynd â'r haearn yma'n ôl i'w wlad ei hun yn fuan."

Aeth Robin allan i'r lôn gan gario'i bêl pilato a'i fatiau. Batiodd hi'n uchel i'r awyr uwchben nifer o'r gwersyllwyr a bu cryn weiddi wrth iddyn nhw gystadlu â'i gilydd yn yr awyr i'w dal.

"Pilato! Euskadi am byth!" meddai'r llanc tal a lwyddodd i'w dal.

"Gwlad y Basg am byth!" cyfieithodd Miss Elordi.

Aeth Robin ato a chynnig y ddau fat iddo a phwyntio at y bỳs.

Ysgydwodd yntau'i ben gyda gwên. Gyda'i ddwylo a'i wên, mynegodd ei ddiolch ond ei fod eisiau i Robin eu cadw i gofio am blant y Basgiaid.

"Mi ga i gêm i gofio amdanoch chi efo Wmffra pan ddaw o adref," meddai Robin. Ac yn sydyn, aeth y pentref yn niwlog iddo yntau hefyd.

Dros y bont, cerddodd Gwyn y post gyda'i sach lythyrau gan eu hanfon o gwmpas y pentref. Aeth â llythyr i'r ail dŷ yn y teras ar y dde iddo ac yna dangosodd gerdyn post yn ei law.

"Dy gyfeiriad di sydd arno, Morfudd Huws," meddai, "ond fedra i ddim darllen yr enw yn iawn ac yn sicr fedra i ddim darllen y neges. Mir ... Mir ... rhywbeth fel'na ..."

"Miren!" awgrymodd Lydia. "Gadewch imi weld. Ia, Miren ac Anton ydi'r enwau yma. Lle dach chi?"

Trodd Lydia i wynebu'r plant a dangos y cerdyn.

"Biarritz," meddai gan bwyntio at y llun. "Cerdyn o Biarritz yn ne Ffrainc ydi hwn."

"Mam!" meddai Miren o dan ei hanadl a rhedeg ymlaen i dderbyn y cerdyn.

Dyna pryd y daeth Megan a Nel dros y bont. Wrth iddi nesu at ddrws ei chartref, gwelodd Megan fod wyneb Miren yn goleuo a'i llygaid yn tanio.

"O! Ama! An Biarritz! Etxe Thérèse! Aita en Frantzia!" meddai gan rubanu rhes o frawddegau mewn Basgeg cyffrous. Llamodd Anton tuag ati a chodi ei ddwrn i ddyrnu'r awyr.

"Mae eu mam wedi cyrraedd cartref Thérèsa yn Biarritz yn ddiogel," esboniodd Miss Elordi yn wên o glust i glust.

"Ond y newydd gorau un ydi bod eu tad wedi cyrraedd Ffrainc yn ddiogel mewn cwch pysgota. Maen nhw'n edrych ymlaen at gael eu plant yn ôl atynt yn fuan."

Ymledodd y cyffro ymysg y plant a'r bobl o gwmpas y bỳs yn Rhydyclafdy, ond Megan oedd y gyntaf i roi ei breichiau am wddw Miren i ddymuno'n dda iddi. Dawnsiai Nel hithau ar ei thraed ôl o amgylch y ddwy.

Dangosodd Miren iddi beth oedd ganddi wedi'i lapio o dan ei braich. Rhoddodd y defnydd lliwgar i Megan a gwneud ystum ei bod eisiau iddi ei gael i gofio amdanynt. Agorodd Megan y defnydd a gweld mai'r faner o Wlad y Basg oedd hi.

"O Bilbo i Rydyclafdy," meddai Miren.

"Coch, gwyrdd a gwyn – yr un lliwiau â baner Cymru," nododd Megan. "Dwy wlad fach ddewr mewn byd o'i gof."

"Y coch ydi'r werin bobl yn y ddwy wlad," meddai Mr Williams-Hughes, wedi'i gyffwrdd gan y seremoni fechan. "Y gwyrdd ydi hawliau sylfaenol y bobl hynny i reoli eu tynged eu hunain, a'r gwyn ydi'r awydd i fyw mewn heddwch."

Daeth yn amser llwytho'r plant ar y bỳs. Ymgasglodd plant a phobl Rhydyclafdy o flaen yr efail i godi llaw arnyn nhw am y tro olaf. Sylwodd Megan fod Jimi a Meic yn y rhes flaen.

"Diolch. Dim ond diolch o waelod calon," meddai Miss Elordi.

"Telegram!"

Trodd pawb i gyfeiriad y waedd a gweld Neli Roberts y post yn chwifio darn o bapur.

"Newydd gael hwn o Bwllheli," gwaeddodd, gan redeg i

gyfeiriad Morfudd Huws, Craig Afon am yr ail waith y bore hwnnw.

"Newyddion da y tro yma," meddai Neli Roberts, gan ddarllen y telegram yn uchel dros y pentref. "Y llong wedi'i chael hi neithiwr. Neb arni. Dim colledion. Wela i chi cyn hir, Wmffra."

"Hwrê!" gwaeddodd y dyrfa o flaen yr efail.

"Wela i chi'n glir?" gofynnodd Tom Bryn Ffynnon trwm ei glyw oedd yn cerdded heibio'r teras am y siop. "Pwy sy'n gweld yn glir a hithau'n niwl at draed y gwely, dwedwch?"

Canodd corn y bỳs a chychwynnodd yn araf i gyfeiriad y bont. Cododd Tom ei fawd wrth weld wyneb Anton yn gwenu arno drwy'r ffenest.

Cododd Megan faner y Basgiaid uwch ei phen ac y tu ôl ei hysgwyddau a'r dagrau'n llifo i lawr ei bochau.

"Dyma hi – un o'r baneri fydd yn rhaid inni ei chwifio yn y cyfarfod hwnnw yng Nghaernarfon," meddai wrth Lydia.

Daliodd y faner wrth ei chalon a gwylio'r bỳs yn dringo'r allt o'r pentref.

"Diolch iti, was," sibrydodd yn dawel wrthi'i hun.

Epilog

Pwllheli
Haf 2016

Roedd y paneidiau wedi hen oeri ar y bwrdd yng nghegin fechan y tŷ teras ym Mhwllheli. Dim ond briwsion y gacen wy oedd ar ôl ar y platiau. Mwythodd Megan Richards y faner drilliw oedd ar daen ar draws ei glin.

"Glywsoch chi rywbeth o hanes Miren ac Anton wedyn, Nain?" gofynnodd Beca.

"Naddo, 'run gair. Pwy a ŵyr beth ddigwyddodd iddyn nhw. Peth felly ydi rhyfel."

"Dwi'n cofio ewyth' Wmffra'n iawn, tydw?"

"Wyt, siŵr. Mi ddaeth o yn ei ôl yn llawn straeon am yr helbulon. Tua wyth oed oeddat ti pan gafodd o'i gladdu."

Edrychodd Beca ar ei horiawr.

"Brensiach! Mi fydd Mam a Dad yma unrhyw funud! A dydach chi ddim wedi cael swper gen i eto, Nain!"

"Dim brys, 'mechan i."

"Ydach chi'n meddwl gewch chi frecwast ganddyn nhw fory ar ôl y tân yn y gegin yna?"

"Twt, welais i fwy o dân yng nghetyn dy daid! Dydan ni ddim yn gwybod ei hanner hi, Beca fach."

Mwythodd yr hen wraig y faner denau ar ei gliniau ac yna'i phlygu bedair gwaith wrth i'r tawelwch ymledu o'i chwmpas. Roedd hi wedi cael dweud ei stori.

Nodyn ar yr hanes

Yn 1935, cyhoeddodd llywodraeth Llundain ei bwriad i feddiannu ffermydd yn Llŷn i greu maes awyr rhyfel ac ysgol fomio. Bu protestio mawr drwy Gymru – llythyrau yn y wasg, deisebau, cyfarfodydd cyhoeddus – ond ni wrandawodd Llundain ar lais y Cymry. Nid oedd pawb yn gwrthwynebu'r datblygiad, er hynny. Roedd y 1930au yn gyfnod llwm gyda diweithdra mawr, ac i rai yn ardal Pwllheli, roedd unrhyw fath o sicrwydd gwaith yn well na bod heb gyflog. Bu 40 o laslanciau a dynion lleol yn gweiddi canu *'Rule Britannia'*, a thaflu wyau at y siaradwyr mewn cyfarfod mawr ar y Maes ym Mhwllheli ar 28 Mai 1936, pan ymgasglodd torf o 6,000 i brotestio yn erbyn yr ysgol fomio.

Diystyrwyd pob gwrthwynebiad, a rhoddodd Llundain sêl ei bendith ar sefydu'r ysgol fomio. Roedd y gwrthwynebiad yn un mwy na cheisio rhwystro Gweinidog Rhyfel Llundain rhag meddiannu tir Cymru yn unig. Mewn araith gan Saunders Lewis yng Nghaernarfon, ac yng ngeiriau'r Parch. Lewis Valentine wrth wynebu'r barnwr, ymosodwyd yn llym ar y dull barbaraidd o ryfela drwy ollwng bomiau o awyrennau ar drigolion diniwed. Roedd Ewrop eisoes yn rhanedig ac roedd yr Ail Ryfel Byd ar y gorwel, rhyfel a fyddai'n gwireddu'r ofnau mwyaf brawychus am ddifrod a lladd drwy fomio trefi a dinasoedd. Cynhaliwyd Pleidlais Heddwch drwy wledydd Prydain yn 1935 ac roedd y trydydd cwestiwn ar y papur pleidleisio yn gofyn a gefnogent

*Tri Penyberth: Y Parch. Lewis Valentine, Saunders Lewis
a D. J. Williams*

wahardd awyrennau rhyfel o bob math drwy gytundeb
cydwladol. Yng Nghymru y bu'r pleidleisio drymaf – 64% o'r
boblogaeth – gyda 90% ohonynt yn erbyn defnyddio awyrennau
i fomio.

Derbyniwyd y cyfrifoldeb am losgi'r ysgol fomio gan y tri
gŵr a enwir yn y nofel. Datgelwyd rhyw hanner can mlynedd yn
ddiweddarach bod pump arall wedi bod yn eu cynorthwyo, ond
y cynllun oedd bod tri gŵr amlwg ym mywyd Cymru yn cael eu
carcharu a bod y lleill yn parhau gyda'r ymgyrch yn y cyfamser.
Wedi imi symud i fyw i Lŷn, clywais am nawfed aelod o'r tîm.
Merch fferm yn Rhydyclafdy oedd hi, a bu'n fyfyrwraig yn y
brifysgol ym Mangor. Roedd wedi astudio Cymraeg gyda'r bardd
R. Williams Parry yn un o'i darlithwyr, ac erbyn 1936 roedd yn
athrawes ifanc ei hun. Ei henw oedd Lydia Roberts,
Penrhynydyn. Gan ei bod o Rydyclafdy, dim ond hi fyddai'n
gwybod am y llwybr cyfleus drwy'r eithin, ar hyd y gefnen ac i
lawr i Benyberth. Hi ddangosodd y llwybr hwnnw i Saunders

Lewis pan ymwelodd â'r ardal ddwywaith yn ystod haf 1936 wrth gynllunio'r ymosodiad ar yr ysgol fomio. Hi, hefyd, oedd fy athrawes Gymraeg gyntaf – Lydia Hughes oedd ei henw erbyn hynny, yn byw yn Nolgarrog ac yn ein dysgu am y cynganeddion, am hen benillion, am gerddi R. Williams Parry ac am enwau lleoedd ardal Ysgol Dyffryn Conwy, Llanrwst. Pan glywais am ei chyfraniad i hanes y Tân yn Llŷn, daeth awydd mawr arnaf i sgwennu'r stori hon.

Mae rhai o'r straeon eraill sydd ar ymylon yr hanes yn seiliedig ar bytiau a gafwyd o bapurau newydd y cyfnod. Un o frodorion Llŷn a ddwedodd na fyddai ieir y penrhyn yn dodwy wyau pan fyddai'r awyrennau'n dechrau hedfan. Ym Mai 1937 hefyd, gwelais nodyn fod Huw Williams, Llangïan wedi'i benodi'n ben daliwr tyrchod daear ar safleoedd yr awyrlu ym Mhenyberth a Phorth Dinllaen. Does dim dwywaith fod awyrennau yr ysgol fomio yn swnllyd ac yn amharu ar yr ardal; yn Awst 1937, cwynodd trigolion Abersoch fod yr awyrennau'n dychryn yr ymwelwyr.

Dysgu ymosod ar drefi a dinasoedd o'r awyr oedd gwaith yr ysgol fomio. Tra oedd Tri Penyberth yn y carchar yn dilyn yr achos llys yn eu herbyn, digwyddodd ymosodiad erchyll gan awyrennau rhyfel ar dref Gernika yng Ngwlad y Basg ar 26 Ebrill 1937. Roedd Ffasgwyr Sbaen wedi troi'r fyddin yn erbyn Llywodraeth y Bobl yn 1936 ac wedi creu rhyfel cartref yn erbyn cefnogwyr democratiaeth. Gan fod Gwlad y Basg a Catalwnia yn cefnogi Llywodraeth y Bobl, ymosodwyd yn ddidrugaredd arnynt, a rhan o'r rhyfel hwnnw oedd y diwrnod hwnnw yn Gernika pan chwalwyd y dref gan lu o awyrennau Ffasgwyr yr Almaen a'r Eidal (Hitler a Mussolini) oedd yn cefnogi Ffasgwyr

Rhan o'r difrod a wnaed i Gernika wedi'r bomio yn 1937

Sbaen (dan arweiniad Franco). Lladdwyd 1,654 o bobl a phlant, a
bomiwyd a llosgwyd 90% o adeiladau'r dref hynafol.

Pan fydd pobl gyffredin yn cael eu dal yng nghanol rhyfela,
bydd colli bywydau, anafiadau, newyn, galar, digartrefedd. Bydd
pobl a phlant yn ffoi. Aeth 150,000 o Wlad y Basg i dde Ffrainc
wrth i luoedd Franco gau am drefi'r wlad. O blith y rheiny, daeth
4,000 o blant y Basgiaid i Brydain, a thua 400 o'r rheiny i
gartrefi yng Nghymru. Codwyd pwyllgorau apêl lleol i gynnal
cartrefi yng Nghaerllion, Abertawe, Llanelli, Brechfa a Hen
Golwyn. Bu tua ugain o blant y ffoaduriaid yn y cartref yn Hen
Golwyn o Orffennaf 1937 hyd Hydref 1938.

Yn y cyfnod hwnnw, roedd nifer dda o bapurau newydd
Cymraeg oedd yn trafod newyddion y byd. Roedd cysylltiadau
cryf rhwng trefi a phentrefi ar arfordir Cymru gyda
phorthladdoedd ar draws y byd, gan fod y diwydiant llongau a

chyflogi morwyr yn dal yn gryf iawn bryd hynny. Ym mhapur lleol Llŷn, er enghraifft – *Yr Herald Cymraeg* – gwelir hanes Gernika yn rhifyn 3 Mai 1937:

> "Ni wyddis faint o ddynion, merched a phlant sydd wedi eu lladd yn Guernica. Efallai na cheir byth wybod faint yw y rhif. Mae'r dref yn adfeilion."

Gwyddys fod nifer o longau a morwyr o Gymru wedi helpu i dorri blocâd Franco ar borthladdoedd Llywodraeth y Bobl yn Sbaen. Un ohonynt oedd yr *African Mariner*, dan gapteiniaeth Capten Manley o Benarth. Roedd pedwar llongwr o ardal Pwllheli ar y llong honno yn hwylio rhwng porthladdoedd Môr y Canoldir a Barcelona – Tom Williams, Humphrey (Wmffra) Roberts, Gwynfor Jones a Robin Williams. Llong arall a wnâi'r un gwaith oedd y *St Winifred* o'r Barri, a ddifrodwyd gan awyrennau rhyfel y Ffasgwyr yn harbwr Alicante ar 6 Mehefin 1938.

Mewn papurau wythnosol Cymraeg 1936–38, roedd newyddiadurwyr o Gymru yn cyflwyno'u profiadau yn Sbaen. John Williams-Hughes oedd un ohonynt. Cynorthwyodd i godi arian yng ngogledd Cymru i anfon ambiwlans a thîm meddygol i Sbaen ym Mawrth 1936. Ef ei hun oedd yn ei yrru. Tra oedd yno yn gweithio i'r Groes Goch ym Madrid a Valencia, daeth ar draws plant oedd yn ffoaduriaid o Gernika. Daeth â lluniau o'r bomio a wnaed ganddynt gartref gydag ef, ac yn 1973 trosglwyddodd ei gasgliad o eitemau o'r rhyfel yn Sbaen i ofal Amgueddfa Bangor (maent i'w gweld yn Storiel Bangor bellach).

Mae'r prif ddigwyddiadau yn Rhan 1 a Rhan 2 y nofel yn

seiliedig ar ffeithiau hanesyddol, er mai dychmygol yw'r rhan fwyaf o'r cymeriadau. Ffrwyth dychymyg hefyd yw'r rhan fwyaf o'r digwyddiadau yn Rhan 3 – ond eto'n seiliedig ar y math o beth oedd yn digwydd ar y pryd. Er enghraifft, aeth criw o blant y Basgiaid i wersylla yn ardal Tywyn, Meirionnydd, yn ystod eu cyfnod ar ffo. Roedd y plant yn enwog am eu doniau disglair ym myd canu, dawnsio ac ar feysydd chwaraeon yn ogystal.

Gallwch glywed y gân werin, 'Y fi yw'r capten newydd' (a ganai'r plant ar eu ffordd o'r traeth) ar dudalen ar y wefan *http://www.festival.si.edu/blog/2016/sing-like-a-basque-traditional-folk-songs/*

Dechreuwyd darlledu ar radio yng ngogledd Cymru pan ddechreuodd mast Penmon drosglwyddo'r signal yn Chwefror 1937. Darlledwyd rhaglenni Cymraeg am y tro cyntaf ar 4 Gorffennaf. Bu llawer o brynu setiau radio yn y gogledd cyn ffeit Tommy Farr a Joe Louis ar 30 Awst y flwyddyn honno. Colli fu hanes Tommy Farr, ond bu'n un o'r gwrthwynebwyr caletaf a wynebodd Joe Louis erioed – ac mae yntau'n cael ei ystyried ymysg y pencampwyr paffio pwysau trwm gorau a welodd y byd. Parhaodd Tommy y pymtheg rownd, heb gael ei daro i lawr unwaith – rhywbeth prin iawn yng ngornestau Joe Louis.

Yn Ionawr 2017, daeth cantorion gwerin a beirdd o Wlad y Basg i Lŷn i gynnal noson yn Llithfaen. Cawsant deithio o amgylch y penrhyn yn ystod yr ymweliad, ac un o'r llecynnau a gyflwynwyd iddynt oedd cofeb Tri Penyberth sy'n nodi hanes llosgi'r ysgol fomio. Cawsant eu sicrhau ein bod ni'r Cymry yn cofio am ddioddefaint y Basgiaid yn Gernika wrth gofio am y cam a wnaed â daear Llŷn yn 1936.

Cydnabyddiaeth

Diolch i Nic Reed, Greigwen, Rhydlanfair, gor-nai Lydia Hughes (Roberts gynt), fy athrawes yn Ysgol Dyffryn Conwy, am lawer o wybodaeth am y teulu a'r ardal.

Diolch i'r Parch. Arthur Meirion a Morfudd Roberts, Pwllheli, am eu hatgofion am ffoaduriaid o Wlad y Basg yn Bradford, ac am sawl sgwrs ddefnyddiol am y Rhyfel Cartref yn Sbaen.

Rhaid nodi hefyd imi gael ysbrydoliaeth a chymorth hael gan Helen Gwerfyl, Swyddog Casgliadau Storiel, Amgueddfa ac Oriel Sirol i Wynedd, sydd â chasgliad o frasluniau o fomio Gernika a wnaed gan blant oedd yn ffoaduriaid o'r dref (casgliad John Williams-Hughes). Diolch hefyd i Storiel am gopïau a'r hawl i atgynhyrchu lluniau plant y Basgiaid.

Diolch o galon yn ogystal i griw o Wlad y Basg a ymwelodd â Phenyberth a Llŷn yn Ionawr 2017. Bu'n daith emosiynol. Ar ben hynny, cefais gymorth ymarferol o ran gwybodaeth am y wlad a'r iaith gan un ohonynt – Begotxu Olaizola Elordi – sy'n rhugl Gymraeg.

Bu Anna George, golygydd y wasg, yn frwd ei hymateb ac yn llawn awgrymiadau gwerthfawr – diolch iddi hithau, a hefyd i Adran Olygyddol Cyngor Llyfrau Cymru.

Nofelau â blas hanes arnyn nhw

Straeon cyffrous a theimladwy wedi'u seilio ar ddigwyddiadau allweddol

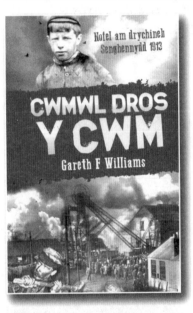

Enillydd Gwobr Tir na-nOg 2014

CWMWL DROS Y CWM
Gareth F. Williams

Nofel am drychineb Senghennydd 1913

Gwasg Carreg Gwalch
£5.99

Ychydig cyn 8.30 y bore ar 14 Hydref 1913, bu farw 439 o ddynion a bechgyn mewn ffrwydrad ofnadwy yng nglofa Senghennydd yn ne Cymru.

Dim ond wyth oed oedd John Williams pan symudodd ef a'i deulu o un o bentrefi chwareli llechi'r gogledd i ardal y pyllau glo. Edrychai ymlaen at ei ben-blwydd yn dair ar ddeg er mwyn cael dechrau gweithio dan ddaear. Ond roedd cwmwl du ar ei ffordd i Senghennydd ...

DARN BACH O BAPUR
Angharad Tomos

*Nofel am frwydr teulu'r
Beasleys dros y
Gymraeg 1952-1960*

Gwasg Carreg Gwalch
£5.99

Y GÊM
Gareth F. Williams

*Nofel am heddwch
Nadolig 1914 yn ystod
y Rhyfel Mawr*

Gwasg Carreg Gwalch
£5.99

*Enillydd Gwobr
Tir na-nOg 2015*

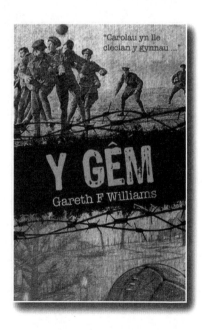

PAENT!
Angharad Tomos

Nofel am Gymru 1969 –
Cymraeg ar arwyddion
ffyrdd a'r Arwisgo yng
Nghaernarfon

Gwasg Carreg Gwalch
£5.99

Yn y Dre mae pawb wrthi'n peintio, ond peintio adeiladau maen nhw ...

Mae cannoedd o bunnoedd wedi ei wario ar baent. Paent gwahanol sy'n llenwi byd Robat ac yn newid ei fywyd mewn tri mis. Ond o ble mae'r paent yn dod, a phwy sy'n peintio? 1969 ydi hi, blwyddyn anghyffredin iawn ...

Rhestr fer Gwobr
Tir na-nOg 2016

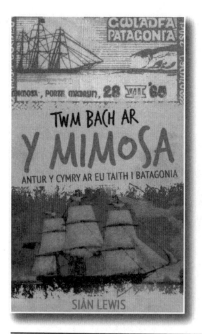

Twm Bach ar y Mimosa
Siân Lewis

Nofel am antur y Cymry ar eu taith i Batagonia yn 1865

Gwasg Carreg Gwalch
£5.99

YR ARGAE HAEARN
Myrddin ap Dafydd

Dewrder teulu yng Nghwm Gwendraeth Fach wrth frwydro i achub y cwm rhag cael ei foddi

£5.99

Rhestr fer Gwobr Tir na-nOg 2017